Échos
péninsulaires II

École de rédaction Artexte

Échos péninsulaires II

Nouvelles et récits

La Grande MARÉE

Échos péninsulaires II

**Sous la direction littéraire de
Réjean Roy,
de l'École de rédaction Artexte**

Avec la participation de:

Rachel Boudreau-Collin
Nadia Chiasson
Clara Doucet
Yvonne Boudreau-Giachino
Anna Girouard
Viviane Lapointe
Jeannita LeBlanc-Gauvin
Joanne Lebreton
Jacques Ouellet
Réjean Roy
Raymonde Savoie
Edna Thériault
Théophane Thériault

Nouvelles et récits

Photo de la page couverture: Jacques Ouellet

Photos d'auteurs à l'intérieur: Syno Photo Ltée

Photo d'auteur (Page 73):   Aurèle J. Frenette

Dactylographie du texte: École de rédaction Artexte

Correction du texte: École de rédaction Artexte

Mise en page: École de rédaction Artexte

Dépôt légal
3e trimestre 1995
Bibliothèque nationale du Canada

I.S.B.N.   2-9803838-7-2

Table des matières

Préface

C'est à l'automne 1992 que l'École de rédaction Artexte a vu le jour à Bathurst et à Tracadie-Sheila. Depuis, plus d'une centaine d'étudiants et d'étudiantes ont suivi des cours d'écriture sur le roman et le témoignage, sur la poésie et sur les diverses techniques de rédaction utilisées en création littéraire.

Échos péninsulaires II poursuit le même objectif que la première édition publiée en 1994. D'ailleurs, cette première édition, qui est déjà épuisée, a été reconnue comme une idée innovatrice par le peuple français. Conséquemment, ce premier recueil de nouvelles et de récits a été choisi finaliste au prestigieux prix littéraire France-Acadie, édition 1995. Ce n'est pas peu dire pour les douze étudiants qui ont contribué à cette première publication produite par la direction d'Artexte.

Pour ces nouveaux auteurs, l'expérience s'est voulue fort intéressante. En effet, en plus d'avoir la chance de travailler sur un texte destiné au grand public, ces douze étudiants et étudiantes ont eu la chance de livrer devant un auditoire averti leur création en plus de recevoir cette reconnaissance inespérée qu'est cette mention honorable au prix littéraire France-Acadie.

Aujourd'hui marque une étape importante dans leur évolution en tant qu'auteur puisqu'ils sont publiés encore une fois par une maison d'édition professionnelle.

Pour ceux-ci, la publication d'un deuxième texte en deux ans est une réussite inespérée. En effet, la plupart d'entre eux ont des centaines de feuilles manuscrites accumulées au fond d'un tiroir ou d'un garde-robe. Et voilà qu'ils ont la chance de partager ces trésors culturels avec d'autres passionnés du monde littéraire!

Ce sont là des auteurs contemporains, des auteurs actuels qui décrivent le monde qui nous entoure et qui rendent compte des faits et gestes de notre société.

Oui, en tant qu'auteurs, ils sont un peu les yeux et les oreilles d'une société. Ils doivent examiner, étudier et analyser tout ce qui se passe dans notre quotidien et le livrer avec candeur à leurs pairs pour les conscientiser, pour les faire réfléchir, pour les faire frémir.

Depuis trois ans déjà, Artexte travaille avec ardeur à la promotion de nouveaux auteurs. Une voix ne suffit pas. Il faut des milliers de voix pour décrire notre société moderne. Il faut des milliers d'oreilles et de yeux pour comprendre nos comportements. Il faut des milliers de coeurs pour saisir l'étendue de la souffrance humaine.

Bref, ces auteurs ont un rôle important à jouer car ils sont un peu le moteur de notre conscience collective. Pour nous, Acadiens et Acadiennes vivant en petites communautés, ce sont nos porte-parole. Et sans la verve de ces écrivains, il n'y aurait plus de dénonciation, il n'y aurait plus de remise en question. Sans eux, artisans du bien-être collectif, le monde serait encore plus malade et injuste.

«Les paroles s'envolent mais les écrits restent», dit-on. Pour Rachel Boudreau-Collin, Nadia Chiasson, Clara Doucet, Yvonne Boudreau-Giachino, Anna Girouard, Viviane Lapointe, Jeanita LeBlanc-Gauvin, Joanne Lebreton, Jacques Ouellet, Raymonde Savoie, Edna Thériault et Théophane Thériault, ce recueil de nouvelles et de récits est un jalon posé dans la bonne direction. C'est un autre pas vers une oeuvre plus complète, plus riche, plus englobante.

Pour ces douze auteurs, **Échos péninsulaires II** représente un tremplin, une chance sans pareille de se faire valoir, de se faire lire et de se faire critiquer par leur entourage.C'est aussi la façon idéale de sortir ces auteurs de l'anonymat et de les aider à prendre leur place sur la scène littéraire acadienne.

Oui, ces auteurs font partie de la cuvée 1994 de l'École de rédaction Artexte. Toutefois, des dizaines d'auteurs de la province suivent également leur propre cheminement et sont sur le point de publier un texte. Oui, une foule de femmes et d'hommes travaillent présentement à la publication de leur premier texte. Notre idéal, c'est de permettre à cette nouvelle génération d'auteurs de se dire, de se raconter, d'échanger, de se faire publier et de faire frémir notre Acadie cosmopolite contemporaine. Voilà l'ultime but que poursuit l'École de rédaction Artexte!

Réjean Roy
Président / Directeur général
École de rédaction Artexte

**Rachel Boudreau-Collin
(Campbellton)**

Fichue de belle semaine!

J'avais un cours d'une semaine à San Marino. Le séjour était payé par mon employeur. Ça semblait être une semaine glorieuse pour étudier le jour. Le soir venu, je prévoyais visiter, magasiner, bien manger... Super!

Je m'installai donc derrière le volant de ma voiture pour le trajet de cinq heures et fit jouer mes cassettes favorites de Rock Voisine. Le trajet se déroula comme prévu, jusqu'au moment où je me trouvai dans le dédale des rues de San Marino. Là, ce fut la catastrophe! Je m'y perdis. En plus, tous les hôtels que je dénichais étaient remplis.

Il se faisait tard et j'étais à bout de nerfs. Je vis finalement un hôtel avec une enseigne «VACANT». Ça n'avait pas l'air très invitant, mais je me suis dis que je trouverais mieux demain. Une fois dans le vestibule, je pris donc la clé tendue par le commis à moitié endormi.

230... 231... 232. Bon voilà! J'y étais! La serrure était aussi minable que l'hôtel. Heureusement, il y avait un gros crochet à l'intérieur. Cela me rassura. Le papier fleuri, jeté sur le mur, se mariait bien avec le couvre-pied décoloré. Exténuée, je m'en foutais! Je laissai tomber ma valise au beau milieu du plancher, fis quelques pas et me laissai choir sur le dos dans un fracas de ressorts grinçants. Et pouf! Je tombai dans un sommeil profond. Il me semblait que rien n'aurait pu me déranger. C'est ce que je croyais!

Au beau milieu de la nuit, je me suis réveillée. Un bruit insistant me tombait sur les nerfs. Dans un sursaut, je réalisai de quoi il s'agissait. J'ai vu ses yeux briller dans l'obscurité. Un rat! Un «maudit» gros rat!

Oh non! Je ne resterai pas un instant de plus ici. Et qu'est-ce qui me disait que ce lit n'était pas infesté de sales coquerelles? Mes cours prendraient une «ride», même si cela voulait dire de ne pas monter d'un échelon dans mon emploi. Je m'en moquais royalement! Je souhaitais retourner chez moi.

Mentalement, j'estimai que j'avais dormi quatre heures. Ça irait. Lorsque je passai devant le bureau de la soi-disante réception, il n'y avait personne. J'y laissai un mot avec 20 $. Ce bref séjour n'avait pas valu cela. Pourtant...

Arrivée au stationnement, si on pouvait l'appeler ainsi, je ne trouvai plus ma voiture. On m'avait «piqué» ma Toyota Corolla. Bon sang! Il ne me restait qu'à rentrer à pied. Dans ma rage, je jetai ma valise par terre et fut éclaboussée du coup. Envers et malgré moi, je dus reprendre ma valise et retourner sur mes pas. Je ne souhaitais pas leur laisser ma valise aussi!

Mais qu'était ce bruit de grincement de roues? Et ces lumières qui zigzaguaient vers moi?

Malheur! c'était bien des mitraillettes que je voyais briller dans les vitres de quatre ou cinq voitures qui fonçaient sur moi. J'eus juste le temps de me jeter derrière un baril tout près. M'avaient-ils repérée?

Les deux bandes rivales étaient bien trop occupées avec leur vendetta personnelle pour s'en prendre à moi. Un «inferno» de balles sifflaient de tous côtés. Une voiture prit feu. Deux torches vivantes en sortirent, lâchant des cris terrorisés. Ils n'eurent que le temps d'exécuter quelques pas avant de tomber dans un amas carbonisé. Leurs cris étranglés résonnèrent à travers la ville pendant de longues minutes.

Sur le coup, j'entendis des voitures de police. Ah! sauvée. Je suis sauvée! Dans un élan de joie, je me suis levée.

C'est à ce moment que je ressentis une douleur aiguë me projetant vers l'arrière. Une balle s'était logée dans mon épaule droite. Des sueurs froides me transirent et la noirceur me plongea dans un gouffre sans fond.

* * * * *

Des voix me bourdonnaient dans les oreilles. Ma tête tourbillonnait. Lorsque j'ouvris les yeux, je voulus bouger, mais une douleur me perça l'épaule droite, me clouant au lit. Je lâchai un cri.

Toutes les voix se turent. Infirmières, médecins et policiers me fixèrent. Puis, ils s'avancèrent. Ce fut à nouveau le brouhaha. Je me souvins du cauchemar lors de mon réveil. Mais alors, ce n'était pas un cauchemar. Donc, l'événement s'était réellement déroulé! Oh, mon doux!

Revenant au présent, j'écoutai l'infirmière me dire que ça irait mieux. Le médecin me rassura en me disant que la blessure était superficielle. La balle avait pénétré dans mon épaule et était sortie de l'autre côté. Quelques bonnes journées de soins et de repos et je pourrais retourner chez moi.

Aussi rassurant que furent l'infirmière et le médecin, le policier me parut comme un oiseau de proie. Il fondit sur moi en me demandant à quelle bande rivale j'appartenais. Surprise, je lui répondis:

-   À aucune.

Je lui racontai ma mésaventure, bien qu'il ne sembla pas me croire. Après m'avoir posé des questions de façon répétitive, le médecin l'interrompit:

-   Ça va. Vous allez l'épuiser. Revenez demain.

* * * * *

Comme prévu, le policier revint la journée suivante. Ses manières s'étaient adoucies un peu. Pendant son enquête, il avait trouvé ma valise à l'endroit exacte où j'avais dit l'avoir laissée. Cependant, il y avait un léger problème. Ma valise s'était fait écraser pendant la tuerie et mes vêtements avaient été volés. Par bonheur, on trouva mon nom et mon adresse sur un fragment de valise. C'est ce qui m'innocenta.

Il continua alors son enquête en poursuivant une autre piste. Néanmoins, je ne lui fus d'aucun secours. Pendant la vendetta, les phares des voitures m'ayant aveuglée la plupart du temps, je n'avais distingué aucun trait particulier.

À mon tour, je l'informai de ma voiture volée, lui donnant tous les détails requis. Il prit des notes. Alors qu'il partait, le policier se retourna et me lança d'un ton moqueur:

-    Pas surprenant qu'on t'ait piqué ta voiture. Une belle voiture de l'année comme la tienne devait avoir ressorti tel un bijou rare parmi ce taudis infecte.

Avant que je puisse lui lancer quelque chose par la tête, la porte se referma sur lui et j'entendis ses pas s'éloigner dans le corridor.

* * * * *

Après quatre jours, j'obtins mon congé de l'hôpital. Je dus retourner chez moi en train. Je n'avais ni valise, ni voiture.

Dès mon arrivée à l'appartement, mes colocataires vinrent à ma rencontre et me saluèrent sur un ton joyeux:

-    Bonjour Roxanne! As-tu passé une belle semaine?

-    Où as-tu caché les tonnes de vêtements achetés à San Marino?

Lorsqu'elles virent l'expression sur mon visage et mon bras en bandoulière, elles ajoutèrent:

-    Juste ciel! On dirait que ça ne va pas. Que t'est-il arrivé?

Ne m'en parlez pas! Je n'ai ni valise, ni vêtement, ni voiture, ni aucune chance d'avancement. Et en plus, j'ai un bras qui me torture sans cesse!

Sur ce, je les ai plaquées là, perplexes, sans la moindre explication. Je fis un bond vers ma chambre à coucher et fit claquer la porte d'un coup de pied.

Tout ce que je voulais, c'était un lit douillet. Je me jetai sur mon lit avec plaisir.

- Ayoye! mon épaule. Fichue de belle semaine! Oui! @!¿#¡?

* * * * *

Le chevalier solitaire

Le cri aigu et léger du chevalier solitaire, perché sur une branche, interrompit les rêveries d'un homme assis tout près. Celui-ci se pencha machinalement pour ramasser une roche à ses pieds. Il s'arqua le bras et la lança avec souplesse de son banc en pierre brute. La roche fit trois bonds espacés sur le cours d'eau avant de rejoindre le fond mousseux.

L'homme fixa l'endroit où elle avait disparu. Les oscillations, de plus en plus grandes sur le lit bleu translucide, l'hypnotisèrent. L'écho des habitants de la forêt et les odeurs tangibles de la nature lui firent revivre un autre souvenir... et le transportèrent dans un passé perdu.

* * * * *

Comme jadis, notre jeune homme se retrouva sur ce sentier battu parsemé d'éclats châtoyants. Une fraîcheur épicée de mousses, de violettes et de pins remplit ses poumons avides. Comme il se sentait bien! Il continua son chemin jusqu'à l'orée du bois, où il déboucha sur un champ tapissé de fleurs colorées.

Parmi ces milliers de fleurs aux nuances douces et vives, il aperçut une jeune personne à la silhouette gracieuse moulée dans la blancheur d'une robe. Sa démarche élégante, à la fois simple et fière, l'amena jusqu'à lui.

Dans les yeux énormes, d'un bleu-violet intense, miroitait l'ébahissement de notre jeune homme. Sur le joli minois de cette nouvelle venue, un sourire enchanteur recouvrit ses lèvres vermeilles, puis monta graduellement dans ses yeux pour faire pétiller ses prunelles.

Avec une voix angélique, la jeune fille se présenta. Le jeune homme recouvra la parole ainsi que le geste et balbutia son nom. Ils continuèrent de bavarder un peu, mais il ne saurait dire de quoi!

Comme elle allait poursuivre son chemin, l'adolescent, poussé par un sentiment de perte, la pria de bien vouloir le rencontrer le lendemain au même endroit. Se penchant la tête dans un angle capricieux, le sourire toujours aux lèvres, elle laissa planer un peut-être dans l'air et reprit son chemin. Il la suivit du regard jusqu'au moment où elle disparut.

* * * * *

Le lendemain, notre adolescent partit d'un pas hardi et confiant. Mais au fur et à mesure que ses pieds le transportaient près de son but, son allure ralentissait. Et si elle n'y était pas?

L'orée du bois apparut. Elle n'y était guère! Le manteau du désespoir l'agrippa comme un oiseau de proie lui donnant un air abattu. C'est alors qu'un mouvement dans le sous-bois attira son attention. Dans le feuillage, il y distingua une silhouette camouflée par une chevelure de jais. Son coeur reprit un air triomphant!

En quelques bonds, il la rejoignit. Mais maintenant qu'il était là, devant elle, il ne savait plus comment réagir. Il se sentait très maladroit. Mais l'adolescente dissipa vite cette maladresse en lui souriant joliment et en glissant sa main dans la sienne. Ils se promenèrent sans but dans la nature enchanteresse, parlant de choses et d'autres, comme s'ils se connaissaient depuis toujours.

Malheureusement, le temps qu'ils avaient cru arrêté les rattrapa. Le sablier n'avait pu s'arrêter. Alors, les jeunes gens, épris d'une amitié spéciale, se donnèrent rendez-vous le surlendemain près de la clairière.

* * * * *

Par la suite, les jeunes amoureux se virent chaque jour dans la nature. Des cris et des rires juvéniles fusaient de partout, tandis que nos adolescents s'amusaient à parcourir ce bois de fond en comble.

Néanmoins, le jour où il voulut lui voler un baiser lors d'une partie de cache-cache, cette ambiance amicale devint plus sérieuse!

Dans l'air pur, l'écho des rires spontanés rebondissait de partout. La voilà cachée derrière ce vieil arbre tordu par le temps! D'un air confiant, il plongea... et manqua son coup!

-	La «saprée», elle s'est échappée! gloussa-t-il.

Mais où donc était-elle encore passée? Un rire cristallin et féminin lui répondit, ne laissant aucun doute sur sa nouvelle cachette. Il repartit derrière elle parmi une ronde continue de sapins, d'épinettes et de bouleaux. Il réussit finalement à lui barrer la voie et à la prendre au piège. Le prix demandé, évidemment, était un baiser volé sur ces lèvres taquines et juteuses.

Mais voilà que la biche, le regardant d'un oeil espiègle, se cabra et reprit son envol vers un champ de trèfles. Cette fois, elle ne lui échappera pas! Il la bouscula sur le tapis de fleurs et l'entraîna dans un tourbillon parfumé.

Essoufflés, les adolescents roulèrent sur le dos face au ciel bleu et rirent aux éclats. Puis, peu à peu, le bleu prit une teinte romantique et le rire fit place au silence. Après un moment, ils osèrent se regarder à nouveau. Émerveillés, ils se redécouvrirent. «Il» voit une jeune femme; «Elle» voit un jeune homme! Nos amoureux éprouvèrent un désir mutuel... celui de faire la connaissance de l'amour et d'en savourer son doux nectar.

Doucement, il se pencha vers la jeune femme. Ses yeux rivés sur les siens, il lui prit le menton d'une main tremblante et rapprocha son visage du sien. Un baiser tendre les unit. Mais bientôt, ce baiser tendre devint plus exigeant.

Il releva la tête, l'espace d'un instant, afin de photographier en mémoire sa beauté enivrante. Puis, il reprit possession de sa bouche. Sa main gauche s'entremêla dans ses cheveux, tandis que l'autre main glissa le long du corps svelte de la jeune femme. Il sentit ce corps souple se tendre et se détendre au rythme de ses caresses. Tout s'enflamma sur son passage dans un feu insatiable... et ardent!

Après un instant passionné, les amants s'enlacèrent tendrement et se laissèrent griser par les rayons du soleil et la fragrance des fleurs, tout en se promettant amour et fidélité pour toujours.

Pour nos amoureux, devenus amants, l'été s'écoula dans un engrenage sublime où le temps n'existait plus!

* * * * *

Par une journée de chaleur excessive, les jeunes gens décidèrent d'aller se baigner à la rivière. L'eau était rafraîchissante.

Après un moment, assouvi, notre jeune homme énergique sortit, laissant ses pistes sur le sable mouillé. Il se dirigea vers une souche non loin.

Assis sur son banc improvisé, il la contempla. On la prendrait pour une sirène par mégarde, si on ne l'avait vu marcher auparavant. Le soleil fit scintiller des gouttelettes sur les parties exposées du corps de la jeune femme. Celle-ci, se tournant la tête, le surprit en train de l'observer. Avec un regard plein d'espiègleries, elle plongea, lui laissant entrevoir, l'espace d'une seconde, une belle vue arrondie suivie de près par un nénuphar noir.

- Mais que se passe-t-il? Elle devrait avoir refait surface depuis!

Il sentit la panique s'emparer de lui. Son regard parcourut la rivière!

Éclaboussures... et éclats de rire! Elle l'avait bien eu. Et hop! Sa coquine replongea à nouveau. Il piqua une tête à son tour et atteignit en quelques brassées l'endroit où elle s'était enfoncée. Voulant lui rendre la monnaie de sa pièce, il ne la trouva guère. Il remonta, pensant la découvrir hors d'haleine tout près. Mais non, rien... Une angoisse grandissante l'étrangla.

- Tiens, il y a des bulles! pensa-t-il.

En quelques tours de bras, il a rejoint les bulles et immergea. Enfin, il l'aperçut, mais elle était bien mal en point. Son pied délicat était coincé entre les branches d'un arbre enseveli. Il essaya de la dégager, mais n'y arriva pas. Une vague de désespoir le submergea. Mon Dieu! le corps de sa nymphe ne se débattait plus! Une peur intense le secoua. Il suffoqua. Il lui fallut remonter à la surface pour respirer! Prenant juste le temps d'aspirer une bouchée d'air, il redescendit encore. Cette fois, il réussit à libérer son amour.

Sur la berge, le jeune homme se laissa choir avec le corps inerte de sa bien-aimée dans les bras. Il essaya de la ranimer, mais peine perdue. Son amour ne respirait plus, ne bougeait plus. Sa joie de vivre n'était plus... Plus rien n'y était. Dans son cerveau paralysé, une onde parvint à lui émettre le message de sa mort.

- Ce n'est pas possible, se répéta-t-il.

Un cri rauque déchira sa poitrine avec une force vacillante. Puis sa voix devint un gémissement de souffrance intolérable...

* * * * *

Depuis ce jour tragique, des années ont passé. Un homme courbé par le temps remplace maintenant le jeune homme. Chaque été, il revient dans ce coin du pays, laissant la nostalgie de son seul et unique amour l'envahir...

Au loin, on entend toujours le cri aigu et léger du chevalier solitaire!

* * * * *

Nadia Chiasson
(Miscou)

Quel voyage!

- L'heure du départ est enfin arrivée, ma grande.

- Oui papa, enfin!

- Eh bien, je veux que tu saches que je t'aime beaucoup et que je te souhaite de la chance et du succès.

Sans même me laisser placer un mot, il tourna les talons, prit mes valises et partit.

Assise sur le bord de mon lit, j'étais perdue dans mes pensées. Je ne pouvais croire que, dans quelques heures, je serais dans l'avion qui allait me conduire à l'autre bout du monde. Voilà le jour tant espéré, le jour où je devais partir. Partir loin, très loin! Partir pour cette ville extraordinaire... Cette ville lumière... La merveilleuse ville de Paris!

Dans un soupir sans fin, je me levai. Devant mon miroir, je m'observai. J'étais vêtue d'une petite robe de coton beige et brune qui me tombait jusqu'aux pieds, de souliers beiges et de mon gros gilet de laine. Je ressemblais à une vraie touriste! J'aimais mes cheveux courts et blonds foncés, mon petit nez sur lequel reposait de petites lunettes et mes yeux d'un brun captivant, toujours rehaussés de mascara.

Ils rendaient mon regard fascinant, à la fois doux, sévère et drôle. Mes yeux, c'étaient eux qui me donnaient toute ma force de vivre! Pas très grande de taille, je me trouvais plutôt séduisante en ce moment. Comment aurais-je pu faire autrement, avec mon merveilleux sourire et ma joie de vivre.

Pour une dernière fois, je m'assurai de bien garnir ma bouche de rouge à lèvres. Enfin, je n'étais pas si mal. Papa me sortit de mon admiration.

- Alexandra.. Alex, arrive. On t'attend!

Pour une dernière fois, je regardai ma chambre, fermai les yeux très fort, prit mon ourson préféré et mon sac à mains et dévalai les escaliers.

Quelques minutes plus tard, assise dans l'auto, j'observais la circulation qui était dense! Mon père roulait en direction de l'aéroport avec autant de prudence que d'habitude. Avec lui, je me sentais en sécurité. Allais-je me sentir en sécurité là-bas, loin des miens? Je ressentais beaucoup de peine et de désarroi à présent. Je partais. Je ne pouvais pas le croire. Oui, je partais vers un monde nouveau, pour une vie nouvelle. Pourquoi quitter ma famille, mes amis, tous ceux que j'aime? Pourquoi? Pour réaliser mes rêves les plus grands, les plus fantastiques? J'allais enfin m'éloigner pour visiter, pour découvrir, pour étudier. Oui, ma plus grande ambition, c'était d'étudier et de devenir journaliste. Quelle passion! Quel rêve!

J'allais disparaître, fuir la réalité et l'amour car j'avais trop de craintes. Allaient-ils simplement comprendre le choix de mon départ? Seul Dieu le savait!

En ce moment, mes pensées divaguaient. J'étais heureuse! Les efforts déployés avaient porté fruit! Mais pourquoi étais-je triste? C'était probablement la peur. Quel sentiment bizarre, ce sentiment de perte et d'accomplissement à la fois!

En regardant dehors, j'apercevais le soleil haut dans le ciel. Ses rayons me caressaient le visage d'une douce chaleur agréable. La fenêtre baissée, j'entendais les cris des oiseaux, perchés sur les fils électriques, le bruit des autos... Malgré tout cela, je pouvais entendre mon coeur qui me disait:

- Continue Alexandra, tu es sur le bon chemin. N'oublie jamais que tout choix que tu feras avec ton coeur sera toujours le bon. Ne doute jamais de ton instinct. Voilà la clé de ton succès!

Rassurée et confiante, j'aperçus l'aéroport de Toronto. C'était le début de mes rêves... La fin de mes tracas, de mes misères!

- Aurevoir maman et papa. je vous aime énormément. Je vais vous écrire. Faites attention à vous!

Les yeux pleins de larmes, je rentrai dans l'avion. C'était une espèce de gros oiseau qui faisait beaucoup de bruit. Un boeing! À l'intérieur, tout était ravissant. Les sièges étaient d'un gris souris. Les moquettes, d'un rose pâle. C'était un petit paradis aérien! Tout en circulant dans les allées, je n'arrivais pas à trouver mon siège! Je vis soudain un hôte!

- Bonjour monsieur, pourriez-vous m'indiquer où je dois prendre place s'il vous plaît?

- Avec plaisir! Pour commencer, vous êtes dans la mauvaise section. Vous êtes en classe supérieure?

- Non, en deuxième classe.

- Venez, je vais vous y conduire!

Toute embêtée, je le suivis. J'avais l'air d'une pauvre conne! Ça, c'était bien mon père. C'est lui qui était venu acheter mes billets. Il n'en faisait qu'à sa tête. Il ne m'avait pas écoutée, bien sûr. Il fallait que j'aie les meilleures places. Sans m'en rendre compte, l'hôte avait cessé d'avancer et s'était retourné vers moi. Comme une pauvre imbécile, j'ai trébuché et je lui ai frôlé les lèvres en tombant! Comment pouvais-je être aussi sotte?

- Pardon! Je m'excuse. Je suis si distraite!

- C'est bien. Vous êtes toute pardonnée. Si vous avez besoin de quoi que ce soit, n'hésitez pas à me le demander. Mon nom est Gregory, mais tu peux m'appeler Greg si tu le veux bien! Sur ces mots, il disparut!

Mon père s'était assuré que je sois à l'aise. En effet, j'avais une des meilleures places, sinon la meilleure. Oui, j'étais assise près d'un hublot. Je pouvais donc voir à l'extérieur. En me levant un peu la tête, j'aperçus une grosse télévision. Il n'y avait personne à mes côtés, sauf une bouteille de vin dans une carafe. Que pouvais-je demander de plus?

J'avais besoin de quelqu'un pour m'assurer que nous n'allions pas nous écraser! Qu'une bombe n'allait pas exploser d'une minute à l'autre! Que personne ne ferait de kidnapping. J'étais très nerveuse. J'avais toujours eu peur des avions depuis que j'étais toute petite. Je craignais de partir seule! Pour me rassurer, je serrai contre moi le petit ourson que j'avais caché dans mon sac. Puis je fermai les yeux bien fort.

- Mesdames et messieurs, Ladies and Gentlemen, bienvenue à bord de Air Canada, Welcome aboard Air Canada. Veuillez attacher vos ceintures. Please lock your seatbelt. We gonna take off in two minutes. Nous allons décoller dans deux minutes!

Ces mots résonnèrent comme des tambours dans ma tête... J'avais tellement peur! J'avais besoin que quelqu'un me dise que j'étais en sécurité et que tout allait bien se passer! En ouvrant les yeux pour attacher ma ceinture, je fus surprise de voir Gregory assis bien droit à mes côtés. Il m'observait!

- Vous êtes nerveuse? Vous avez peur des avions? Ce n'est rien, je suis là, me dit-il sur un ton rassurant. Puis, il me prit la main.

- Prenez une grande respiration. Détendez-vous. Surtout, pensez aux plus beaux moments de votre vie! Ceci vous aidera à vous calmer! Allez-y, faites-le.

Comme s'il était mon père, je l'écoutai. Pourquoi me sentais-je en sécurité avec lui? Je ne craignais plus rien. Pourtant, il y a cinq minutes, j'aurais voulu mourir tellement j'avais peur! Gregory! Pourquoi m'avait-il permis de l'appeler par son prénom? Pourquoi?

J'ouvris les yeux pour le lui demander, mais les mots ne franchirent pas mes lèvres.

Il m'observait avec un regard éblouissant, un regard énergique rempli d'amitié et de sécurité. Il avait un tel pouvoir sur moi en ce moment. Pourquoi? Je refermai aussitôt les yeux! C'était un jeune homme très élégant. Dans son costume bleu marin, ses yeux devenaient tellement ravissants. Il aurait pu faire chavirer n'importe qui! Avec ses cheveux blonds poussés vers l'arrière, ses dents blanches, son sourire charmeur, ses mâchoires carrées et sa petite barbe bien entretenue, il était beau garçon ce Gregory!

- Gregory, qu'est-ce que vous faites assis à mes côtés? Ne devez-vous pas travailler?

- Vous savez Alexandra... Alex, si vous le permettez... Le personnel doit aussi s'attacher lorsque l'avion décolle. Le siège que m'a assigné mon patron est le siège qui porte le numéro A-2. Ça me semble être ma place. Sur votre billet, c'est inscrit A-1?

- Heu! heu! Oui! répondis-je, surprise. Comment avez-vous su mon nom? Qui vous l'a dit!

- C'est très simple. Vous vous rappelez, c'est moi qui vous ait conduite à votre siège. J'en ai profité pour vérifier votre nom sur votre billet! Comment aurais-je pu m'en empêcher, vous êtes tellement ravissante?

- J'avais le feu au cul. Son ton calme et rassurant, sa fierté de mâle et son indépendance me tombaient sur les nerfs. Quelque chose en moi me disait de me méfier!

- Alex, vous êtes deux fois plus belle lorsque vous êtes fâchée! Ce qui est le plus amusant, c'est que vous ne vous êtes même pas rendue compte que l'avion a décollé et que vous volez déjà au-dessus des nuages, belle princesse!

- Vous!

- Je blague. Vous me pardonnez?

- Oui bien sûr, mais ne recommencez pas, je ne suis pas belle à voir lorsque je suis vraiment fâchée! Vous verrez.

- D'accord, je ne recommencerai pas. Vous êtes trop jolie! Je ne veux surtout pas vous voir en colère! C'est quoi déjà votre deuxième nom? Mademoiselle ou madame?

- Mademoiselle Alexandra Boisvert.

- Enchanté mademoiselle. Moi, c'est Gregory Clinton pour vous servir!

En se levant, il ajouta:

- Je dois aller travailler maintenant. À tout à l'heure! Reposez-vous! Et il disparut.

Tout en passant, je me disais: «Je me sens bien avec lui. Il me fait rire avec ses discours et ses compliments! Et surtout, je ris quand il me dit «vous». C'est un jeune homme bien poli, sur qui compter là-bas». Sur ce, je fermai les yeux et m'endormit.

- Tout en circulant dans les allées, Gregory servait les passagers.

- Du vin madame? Vous avez froid? Attendez. Tenez, une couverture et un oreiller. Dormez bien.

Il adorait son métier. Les gens l'aimaient. Il était courtois et fort poli!

En arrivant près d'Alex, il la vit qui dormait paisiblement contre la vitre. Avec une extrême délicatesse, il lui souleva la tête, posa un oreiller et la couvrit d'une couverture. Sans même y penser, il déposa un baiser sur ses lèvres. Surpris par son geste, il partit. Pourquoi cette jeune fille le fascinait-il autant? Sans même la connaître, il l'aimait déjà... Pourquoi? Comment cela est-il arrivé?

Soudain, il se souvint. Tout à l'heure, lorsqu'elle était tombée sur lui, ses lèvres avaient frôlé les siennes et son coeur s'était mis à palpiter fort. Il l'avait reconnue grâce à ses yeux... C'était celle qu'il avait tant aimée en secret il y avait maintenant deux ans!

Pendant une cérémonie, elle était venue avec ses parents. Il l'avait tout de suite vue et aimée lorsqu'elle avait dédié un poème aux soldats qui partaient pour la guerre du golfe. Tant de sentiments et d'émotions étaient apparus. Tant de pleurs s'étaient fait entendre. Il l'admirait. Elle avait terminé en disant: «Que la paix soit avec vous! Que Dieu vous bénisse!» Ces paroles étaient restées à jamais gravées dans sa mémoire. Et il s'était fait la promesse de ne pas mourir, afin qu'un jour il puisse venir la retrouver. Il s'était juré de l'aimer jusqu'à la fin de ses jours et de la rendre heureuse.

- Gregory! Gregory! Gregory! Greg!

- Oui, madame Carlin! Pardonnez-moi! Que puis-je faire pour vous?

-      C'est simple. Versez-moi du thé et sortez de la lune. Vous êtes en amour, mon cher. N'est-ce pas?

-      Oui, chut! Ne le répétez pas à personne!

Depuis trois mois, Madame Carlin allait voir son mari à Paris à toutes les deux semaines. Elle avait connu Greg et elle l'aimait bien! Il n'aurait pu lui mentir...

Encore à moitié endormie, j'ouvris les yeux. En regardant ma montre, je constatai que j'avais dormi plus de trois heures. C'était le filet du film «Basic Intinct».

-      Voilà ma chance de l'écouter, me dis-je.

Assise bien confortablement, je n'aperçus pas Gregory qui se dirigeait vers moi avec un plateau de nourriture!

-      Tiens Alex, mange un peu. Ça va te faire du bien!

-      Non merci, je n'ai pas très faim! Dis donc, merci pour la couverture et pour le...

-      Pas de discussion. Mange un peu!

-      D'accord, tu peux t'asseoir.

-      C'est un très bon film... Un très beau film d'amour.

-      Tu aimes les histoires, les films d'amour!

- Oui, dis-je, la bouche pleine. C'est très bon! Hum!

- Le film ou les histoires d'amour!

- Non, non, la nourriture! Pardon! C'est vrai, j'adore les histoires d'amour! Je suis très romantique. Peut-être trop, malheureusement!

- On n'est jamais trop romantique, lui dit-il en prenant sa main.

Pourquoi me laissai-je faire? Il avait ma main dans la sienne et il me caressait. J'étais devenue folle! Il y avait à peine quatre heures que j'avais fait sa connaissance et déjà... Non, ce n'était pas possible! J'enlevai ma main. Le film comportait certaines scènes d'amour très animées! C'était romantique! L'atmosphère dans l'avion était reposante. On aurait dit que tout le monde était absorbé par le film. Je n'entendais même pas chuchoter. Rien. Pas un bruit! Prise de panique par ce silence insupportable, je laissai échapper un petit rire!

Greg me regarda dans les yeux. Comme tout à l'heure, il exerçait un pouvoir inexplicable sur moi! Dans ce regard, je pouvais y lire le désir d'amour! Effrayée, je détournai le visage. Et je remis ma main dans la sienne sans rien comprendre!

Pour le reste du film, rien ne se passa. La fin arriva. Greg prit ma main, y déposa un doux baiser qui me bouleversa! Encore une fois, il me regarda. Cette fois, il avait le regard triste, un regard rempli de regrets et de culpabilité.

- Alex, j'espère te revoir un jour! Bonne chance! C'est un amour impossible! Aurevoir... Il partit.

- Mesdames et messieurs, nous atterrissons dans deux minutes. Attachez vos...

- Amour impossible. Amour impossible. Pourquoi? Comment?

Je devais aller chercher mes bagages et passer aux douanes. Non, en premier, je devais passer aux douanes et ensuite ramasser mes bagages. Je me dirigeai rapidement vers la ligne d'attente.

La foule était nombreuse, dense et bruyante. J'avais peur, seule dans ce grand aéroport. J'étais insécure et nerveuse. Personne n'était là pour me rassurer. Gregory était parti. Pourquoi avait-il dit: «C'est un amour impossible, impossible?» Pourquoi? Je n'y comprenais rien. Maintenant, je ne connaissais personne. Tout le monde qui m'entourait était de races différentes et je ne comprenais rien à ce qu'ils disaient. Tous m'étaient étrangers. Je ne reverrais probablement plus jamais Gregory. Je les avais donc perdus tous les deux...

- Madame, votre passeport s'il vous plaît. Merci! Tout est en règle, vous pouvez partir! Bienvenue à Paris! C'est une ville merveilleuse, vous verrez! C'est une ville pour les amoureux. Bonne chance.

- Justement, je ne suis pas amoureuse. Je ne suis nullement en amour!

Perdu dans mes pensées, j'allai chercher mes valises. Cet aéroport m'était insupportable! Il était trop grand, trop bruyant! Je devais partir.

C'était humide. Le soleil était encore écrasant! Je devais prendre un taxi et me rendre à mon hôtel. Cependant, j'étais énervée de prendre le taxi seule. J'avais ce drôle de pressentiment, un sentiment qui me disait d'attendre un peu. Juste quelques secondes pour affronter la réalité, pour être certaine que je n'étais pas en train de rêver.

Debout, entourée de mes bagages, j'attendais je ne sais quoi. Me trouvant ridicule, je pris mes valises et commençai à marcher vers la station de taxis! La pollution du bruit m'agaçait énormément. Dans le ciel, je n'apercevais pas les nuages, mais plutôt des avions qui atterrissaient et qui décollaient. Je crus entendre quelqu'un m'interpeller. Je me dis:

- Alex, tu es folle. Personne ne te connais. Tu es seule ici! Seule! Seule!

- Alexandra! Alexandra Boisvert! As-tu fini de marcher aussi vite? J'ai cru ne pas pouvoir te rattraper.

J'arrêtai brusquement de marcher. Je me détournai. Ce n'était pas mon imagination! Je connaissais cette voix. Droit devant moi se tenait Gregory.

- Tu viens avec moi? Mon auto est juste à l'arrière...

Sans même attendre ma réponse, il prit mes malles et je le suivis sans dire un mot.

Je me sentais comme une petite fille. J'étais tellement heureuse avec lui. Il était revenu et m'avait une fois de plus sécurisée. Je n'étais plus seule. Il était là!

- Greg, dis-je dans un murmure. Merci, merci pour tout.

Il se rapprocha. Avec son doigt, il me ferma la bouche et me dit:

- Chut, ne dis rien. J'ai tout compris en regardant dans tes yeux! J'ai tout compris, tout!

Il était incroyable, ravissant avec son jeans bleu, sa chemise blanche déboutonnée et sa veste marine! Avec son air décontracté, ses lunettes de soleil, ses cheveux encore tout mouillés, il était méconnaissable. Il était encore plus beau que dans l'avion. À son cou pendait une longue chaîne sur laquelle était accroché un pendantif! Ça signifiait qu'il était allé à la guerre... Qu'il avait été soldat...

- À quel hôtel débarques-tu Alexandra? Tu as faim?

- Ah! Je suis affamée. Je mangerais un loup!

- C'est bien, je te conduis à ton hôtel. T'as le temps de te doucher, de mettre quelque chose de léger et de te refaire une beauté! Et à six heures trente, je passe te prendre!

Six heures trente. Vêtue d'une robe d'été, de sandales et d'un petit chapeau de paille installé sur le côté de la tête, je dévalai l'escalier. On pouvait entendre de loin mes bracelets qui s'entrechoquaient. À mes oreilles étaient accrochés des anneaux d'or. À mon cou pendait une chaîne en or. Avec mon teint brun et mes lunettes de soleil, j'étais parfaite pour la soirée!

- Wow! Tu es ravissante! me dit Greg, installé dans le hall d'entrée!

- Tu trouves? lançai-je en tournant sur place. Je suis à vous monsieur Clinton. Une touriste a besoin d'un guide ce soir!

- Viens avant que...

- Où m'emmènes-tu manger?

- Dans un petit restaurant nommé l'entracte. C'est près de l'opéra. Le service est parfait et l'atmosphère est agréable. L'ambiance est romantique. Je veux t'impressionner.

- Tu n'as pas besoin. Je le suis déjà...

Arrivé au restaurant, une serveuse nous fit prendre place près d'une fenêtre. De là, je pouvais apercevoir l'opéra et les galeries La Fayette. La vue était superbe! Dans le restaurant, tout était calme. C'était chaleureux...

Après avoir bu quelques verres de vin, nous commençâmes à nous sentir plus à l'aise l'un et l'autre. C'était comme dans un film! Tout était parfait. J'avais l'impression de l'aimer. Quelque chose brûlait en moi. C'était une flamme de feu, d'amour, de passion...

Tu as des yeux magnifiques. Ils sont captivants. Je peux tout lire tes sentiments. Ils sont d'une force incroyable et ils ont un effet sur moi que je ne sais expliquer.

- Merci, tu es flatteur! Toi aussi tu es captivant, Greg. Depuis tout à l'heure, je me demande pourquoi tu es ici avec moi. Je ne suis pourtant qu'une fille bien ordinaire, alors que tu pourrais avoir des mannequins accrochées à ton bras en claquant des doigts! Pourquoi Greg?

- Parce que j'admire la beauté de ton coeur et non la beauté de ton corps. À mes yeux, tu es une fille exceptionnelle, voilà tout!

- Tu me caches quelque chose, j'en suis certaine!

- C'est une longue histoire. Tu ne pourrais pas comprendre... Alex, tu sais, tu es trop curieuse. Viens, on s'en va. Je n'ai plus le goût de manger ici. J'ai le goût d'une pointe de pizza, d'un coke et des bonnes frites.

- Moi aussi!

Greg paya l'addition, laissa un pourboire, me prit tout bonnement par la main et nous sortîmes du restaurant!

Arrivé à l'extérieur, j'aperçus l'opéra de Paris. C'était gigantesque et merveilleux! Je n'arrivais pas à croire que ce que je voyais était bel et bien réel. J'étais émerveillée.

- Alex, tu veux visiter? Tu m'as dit tout à l'heure que tu avais

45

besoin d'un guide, alors me voilà. Tu es prête, on y va.

- Je suis prête, fis-je avec un sourire bien plus qu'amical!

À l'intérieur de l'opéra, tout était spacieux, riche et énorme. Entièrement illuminé par de petites chandelles et soutenu par d'énormes colonnes, l'escalier d'honneur me coupa le souffle. Tout était merveilleux. Grandiose même!

- Tu as aimé

- Oui, j'ai adoré.

- Ma belle, tu n'as encore rien vu. Attends de voir la tour Eiffel, l'Arc de Triomphe, la basilique du Sacré-Coeur de Montmartre, la cathédrale Notre-Dame, l'avenue des Champs-Élysées et le musée du Louvre. Attends!

Tout en marchant le long de la Seine, je me sentais de plus en plus joyeuse, de plus en plus proche de Gregory. Je lui faisais confiance!

- Alex, dis-moi pourquoi tu es venue à Paris.

J'avais besoin de liberté, de devenir indépendante... Je voulais réaliser un de mes plus grands rêves! En fait, je suis venue ici pour étudier, pour faire ma maîtrise en journalisme. J'adore écrire. Pour moi, c'est une passion... Je suis curieuse. Je veux tout savoir! J'aime l'action, les défis...

- Mais pourquoi Paris?

- Je ne sais pas. Oui je sais, mais... On m'a toujours dit que

Paris était une ville lumière, la ville des amoureux. Suis-je peut-être en train de chercher l'amour? O.K. On arrête de parler de ça. On s'amuse!

- Tu aimes les promenades en bateau?

- Oui, pourquoi?

Juste en bas, à toutes les demi-heures, un bateau part en randonnée. On peut y voir les plus beaux monuments de Paris. Viens, on y va... Vite, cours. Cours. On va le manquer. Dépêche-toi...

Arrivé en bas, sur le quai, le bateau s'apprêtait à partir. Gregory, avec ses six pieds cinq pouces et ses longues jambes, sauta à bord. Puis il allongea les bras, me prit par la taille et me fit monter!

Lorsqu'il me déposa à terre, il me regarda droit dans les yeux, prit mon visage entre ses mains et s'abandonna avec toute la délicatesse du monde à mes lèvres. Il m'embrassa avec une fougue inexpliquée. Soudain, il cessa brusquement. Pris de panique, il s'excusa!

- Pardon Alexandra! Je suis fou. Je ne commencerai plus, je te le promets. Pardonne-moi.

D'un geste de tête affirmatif, il comprit qu'il était pardonné! La nuit était tombée, mais l'air était encore humide. Gregory déposa son veston sur mes épaules. Perdue dans mes pensées, je me parlais à moi-même:

- Ce baiser ne m'avait pas déplu. Gregory, pourquoi m'as-tu embrassée avec une telle fougue? Pourquoi penses-tu que je n'allais pas comprendre ce que tu ressens pour moi. Pourquoi as-tu dit aurevoir? Pourquoi as-tu dit que c'était un amour impossible? Pourquoi m'as-tu permis de t'appeler Greg? Mon Dieu, pourquoi je t'aime tant?

La nuit était magique. Le ciel était rempli d'étoiles. J'étais impressionnée par ce beau spectacle. Sans bruit, il était venu s'asseoir à mes côtés, m'avait enlacé et, avec douceur, avait prononcé ces mots doux: «Tu es tellement belle avec tes yeux pétillants, ta bouche délicieuse, la tendresse de ta peau et la douceur de ton visage. Pourquoi est-ce que je t'aime tant?» Et il s'était tu!

Dans ma tête, tout était mêlé. Je n'arrivais pas à comprendre! Tout était tellement romantique. J'avais envie de me laisser aller, de rire, de pleurer, de libérer cette peine qui gémissait au fond de moi. Je voulais laisser sortir cette flamme qui brûlait en moi. J'avais tellement soif d'amour!

Sur le bateau, tout le monde semblait amoureux. Une musique légère se faisait entendre... Gregory n'en pouvait plus de ce silence. Il prit mon bras.

- Danse avec moi! J'adore cette chanson. C'est mon chanteur préféré. Très fort, il me serra contre lui.

Comment aurais-je pu refuser. Il me voulait autant que moi... Il me suppliait... La chanson de Michael Bolton, «I'm not made of steel», nous transporta. Il était humain. Mais tant de souvenirs revenaient. J'avais vaincu tant de peines et de souffrances! La peur ressentie me faisait mal jusqu'au plus profond de mon âme!

- Mon Dieu, aidez-moi, me disais-je intérieurement.

Tout en dansant, nos corps se rapprochèrent l'un de l'autre. Ses mains dansaient elles aussi dans mon dos. J'avais des frissons plein le corps.

L'air frais avait maintenant pris place, un petit vent soufflait sur nous. C'était rafraîchissant et agréable, la nuit avait un tel effet sur moi! Nos corps ne voulaient plus se quitter. Pourtant, quelque chose, quelqu'un m'en empêchait! Quoi? Je l'ignorais, mais je le ressentais!

En prenant notre courage à deux mains, nous allâmes nous asseoir. Gregory m'apporta un verre de vin. Ensemble, nous admirâmes la tour Eiffel toute illuminée. C'était haut! Gregory m'expliqua les histoires du Louvre et de la conciergerie. Tout ceci était fascinant. Mais le plus fascinant, c'était que la tension qui montait en nous depuis quelques heures déjà venait de disparaître. Comme si on l'avait ressenti en même temps, nous nous regardâmes et nous pouffâmes de rire! Enfin, on était débarrassé, on avait gagné!

Sur la Seine passaient plusieurs autres bateaux. Des gens joyeux s'amusaient. Des amoureux se tenaient la main. J'étais dans un rêve! La rivière était merveilleuse avec ses milles couleurs! Les lumières nous éblouissaient.

Sans m'en rendre compte, le bateau venait d'accoster sur le quai, Gregory et moi en débarquâmes, main dans la main. Puis nous nous dirigeâmes vers le métro...

Nous étions maintenant à Montmartre. Là, tout était extraordinaire: La vue sur Paris, la tour Eiffel, les Champs Élysées. Mais le plus fascinant, c'était cette église, cette basilique surnommée le Sacré-Coeur. À l'intérieur, on avait l'impression qu'on venait de retrouver ce sentiment de paix et de nostalgie!

Avec des milliers de chandelles allumées, j'avais l'impression que Dieu était présent et qu'il marchait à nos côtés, qu'il nous accueillait dans son univers sacré, dans son coeur. C'était étrange! J'avais ce sentiment de bien-être, de vie nouvelle. Quelqu'un semblait être là pour nous redonner de l'énergie, de la force et du courage. Ça nous incitait à continuer, à trouver, à chercher le bonheur, à atteindre notre but...

Nous sortîmes de l'église. Gregory arrêta un petit garçon qui vendait des fleurs, il lui en acheta une et me l'offrit.

- Tiens, c'est un signe du respect que je te porte. C'est pour l'amour que j'éprouve pour toi. Cette rose, c'est ton vrai portrait. Elle sent bon. Elle est douce. Elle apporte le bonheur et l'amour dans la vie des gens. Elle ne veut pas le mal. Elle veut la paix, tout simplement, comme toi.

- Merci Greg. Tu m'épates toujours, mais je suis incertaine.

Je ne comprends pas ton amour envers moi. Je te connais à peine! Je me sens tellement en sécurité avec toi, mais tout va trop vite... Pourtant, je t'aime!

- Alexandra, donne-moi la chance de te montrer tout l'amour que j'éprouve pour toi. Laisse-moi t'aimer!

Sur le champ, Gregory héla un taxi et lui indiqua l'endroit où il voulait aller! Puis, il lui dit de faire vite!

Assise dans le taxi, je me sentais soulagée. J'avais besoin que son corps touche le mien. J'avais besoin d'amour. Je ne pouvais croire que j'avais accepté son invitation. Moi qui étais si responsable, comment avais-je pu? Saurais-je un jour pourquoi cet homme m'aimait autant?

Je fus ébahie lorsque je vis sa maison qui était un vrai petit paradis terrestre. Greg était un jeune homme fortuné. Son père était mort à la guerre et sa mère, ne pouvant affronter la vie, s'était suicidée. Il y avait déjà deux ans de cela. Gregory avait alors hérité de la fortune de ses parents, étant enfant unique.

L'atmosphère de la maison était reposante. J'y trouvais la paix, le bonheur... Tout était gigantesque: les colonnes, les moquettes, les peintures, tout. Vitrée tout autour, je pouvais apercevoir la piscine. Je n'avais qu'à sortir dehors, qu'à marcher quelques pas pour me tremper les pieds dans l'eau. C'était formidable!

Installée devant le feu qui scintillait, j'étais confortable! Je m'étais débarrassée de mon chapeau et de mes bracelets.

Mes pieds étaient nus. La chaleur que me procurait le feu avait fait rougir mes joues. Une musique légère fredonnait... Du champagne, des fraises, rien ne manquait!

- Alex, tu es là?

- Oui, ici.

Lorsque je me retournai, j'étais stupéfaite. Greg descendait le grand escalier, pieds et torse nus. Ce qu'il était bien musclé. Sur son nez, il avait déposé de petites lunettes rondes. Cela lui donnait un air intellectuel.

C'était un vrai gamin! Habillé d'un jeans, il était ravissant. Les éclats dans ses yeux en disaient long sur son désir d'aimer.

Qu'il était beau, avec ses yeux d'un bleu chaleureux et son sourire charmeur!

- Greg, si je ne me retenais pas, je passerais ma main dans tes cheveux. J'aimerais caresser ton beau visage et te couvrir de mille baisers. Mais je ne te connais point. J'ignore tout de toi. Tu es peut-être marié, alors où est ta femme? Ce pendantif que tu portes, il me rappelle tellement de souvenirs. Es-tu allé à la guerre? As-tu des enfants un peu partout dans le monde? Comment es-tu devenu hôte? Tu vois, j'ignore tout de toi!

Il était venu s'étendre en face de moi. Il avait placé sa main sur ma jambe. Il m'écoutait avec une telle attention. J'avais les larmes aux yeux.

- Gregory, dans l'espace d'un jour, je suis tombée amoureuse de toi. C'est invraisemblable! Tu exerces sur moi un tel pouvoir. Comment ne pas t'aimer? Peux-tu me dire comment je suis censé faire l'amour avec toi alors que je ne te connais absolument pas!

Sans rien dire, il s'était avancé vers moi. Il prit ma main, toujours avec ce sourire réconfortant sur les lèvres, puis il y déposa un baiser. Avec ses yeux curieux, on aurait dit qu'il cherchait à tout savoir sur moi! Il me leva debout et me fit danser.

Ses bras m'enlacèrent très fort. Sans aucune crainte, il croisa mon regard. J'étais en proie à de folles émotions. J'étais envahie d'une forte passion. Comme s'il avait lu mes pensées... Dans mon oreille, il me chuchota dans un rire nerveux:

- Je t'aime depuis si longtemps, depuis le premier jour. Je ne me suis jamais marié. Je t'attendais. Je n'ai jamais eu d'enfant. Je veux que ce soit toi la mère de mes enfants. Oui, je suis allé à la guerre grâce à ta force... Eh oui, je sais comment tu es censé faire l'amour avec moi. C'est simple, laisse-toi aller. Reste toi-même. Laisse-moi t'aimer. Alex, j'en ai tellement envie! Je dois tenir ma promesse!

Ses lèvres douces, si tendres, m'embrassèrent. Ses mains caressèrent mon corps. Je sentis ses doigts caresser ma peau. J'en avais même des frissons dans le dos. J'étais si confortable avec lui.

- Alexandra, laisse-moi t'aimer, fit-il dans un soupir.

À ses yeux, j'étais parfaite. Je n'avais plus aucun défaut. Notre jeu était devenu dangereux, Il me faisait vibrer de partout. Toutes les parties de mon corps le désiraient plus que tout. Mon coeur avait tellement besoin de lui. J'avais envie de lui, il fallait que nous ne formions qu'un.

N'y tenant plus, il dégraffa ma robe et la laissa glisser le long de mon corps... Il fit de même avec le reste. J'étais à présent nue. Afin de mieux m'observer, il fit quelques pas vers l'arrière. Il examina longuement mon corps. Ses yeux étaient submergés par la tentation du toucher.

En m'avançant vers lui, ce fut à mon tour de le dévêtir! Avec grand soin, j'enlevai son jeans. En le caressant, je le couvris de baisers. Enfin, j'avais soif d'amour. Cette flamme qui brûlait en moi était finalement sortie. Quelle passion! Bientôt, tout allait exploser!

Dans ses bras, je m'abandonnai. Lui faisant confiance, je me laissai aller. Il me porta jusqu'au devant du foyer. Il m'allongea, ne pouvant plus résister, et m'embrassa avec passion. Ses mains dansaient toujours sur mon corps et cherchaient mes parties les plus sensibles.

Dans un soupir, un appel à l'aide, je lui dis:

- Gregory, montre-moi comment aimer. Fais-moi l'amour!

Avec des gestes tendres et sensuels, il m'aima d'un amour inexpliqué, avec une force incroyable. Il me fit sentir comme si j'étais devenue un vraie femme...

Avec toute la chaleur du monde, il venait de me libérer. J'avais enfin goûté à ce plaisir d'amour. J'étais comblée! Il m'aimait seulement avec la tendresse d'un homme. Sans gêne, il avait su...

- Ma première nuit d'amour, je l'ai connue à vingt-deux ans. Tout avait été parfait. Pourtant...

Gregory s'était endormi sur ma poitrine. Il s'était couché, épuisé, fatigué... Les rayons du soleil commençaient à se faire voir. Longtemps, je l'avais admiré, adoré, remercié!

J'entendais ses long soupirs. Grâce à lui, j'avais fini de souffrir. Allait-il simplement vouloir me laisser partir!

- Greg, Gregory, réveille-toi. Je dois te parler!

À demi endormi, il ouvrit les yeux. Il était tellement beau. Je pensais être cinglée. Ce que j'allais lui dire allait le détruire. Mais c'était la vérité, je ne pouvais le nier!

- Gregory!

- Oui! Il me regarda droit dans les yeux et il sut... Non Alexandra, ne dis rien! Je viens de comprendre. Je t'aime de tout mon coeur, mais ton coeur ne m'appartient pas. Il est destiné à quelqu'un d'autre. J'ignore qui est ce jeune homme. Mais je sais que tu l'aimes de tout ton coeur! Tu voulais fuir cet amour. Craintive, tu avais sans doute peur de mal l'aimer, de ne pas savoir quoi faire. C'est pourquoi tu es partie, n'est-ce pas? Notre nuit d'amour, jamais je ne l'oublierai. Toi non plus.

Mais à la guerre, je m'étais promis de t'aimer toute ma vie et de te rendre heureuse! Aujourd'hui, je te rends ta liberté afin que toi aussi tu puisses aimer! Je savais que ce n'était pas la réalité. Ce n'était qu'un rêve! Maintenant, tu peux partir Alexandra!

Je me levai et m'habillai, toujours émue par les paroles qu'il avait prononcées. Avant de quitter la maison, je le regardai avec une telle compassion qu'il se mit à pleurer!

- Merci Gregory. Merci pour tout!

- Va. Que la paix soit avec toi et que Dieu te bénisse.

Sur ce, je partis.

Dans le taxi qui me menait à mon hôtel, je réalisai que je ne saurais jamais pourquoi Gregory m'aimait tant? M'avait-il déjà vue auparavant. Arrivée à l'aéroport, je courus vers la cabine téléphonique.

- Samuel, c'est Alexandra. Je t'appelle pour te dire que je t'aime et que je t'aimerai probablement toute ma vie. Tu me manques tellement...

- Alex, moi aussi je t'aime. Alors, tu reviens?

- Oui, j'arrive. Je repars pour le Canada!

* * * * *

Clara Doucet
(Bathurst)

La visite du curé

Autrefois, la visite annuelle du curé se faisait dans tout le Diocèse. C'était un événement spécial que tous les paroissiens accueillaient chaleureusement. Pour le curé, c'était le meilleur moyen de connaître ses familles et de recenser le nombre de personnes vivant dans la paroisse afin de préparer le registre paroissial. Pour les fidèles, c'était le temps de payer leur dîme annuelle, ce qui était en partie le salaire du curé. Étant donné qu'il y avait des familles un peu plus fortunées que d'autres, quelques-unes d'entre elles donnaient plus d'argent ou encore des produits de la terre, ce qui compensait la maigre part des plus pauvres.

Chez nous, c'était une journée que les enfants ne pouvaient pas oublier. Maman nous préparait une liste de bons conseils une semaine à l'avance afin que nous puissions bien répondre aux questions du curé. La veille, nous devions aller au lit plus tôt que de coutume pour nous reposer. Il fallait aussi donner la chance à maman et à mes plus grandes soeurs de préparer la maison et de se faire quelques frisettes.

* * * * *

La saison était des plus belles. Le soleil rayonnait sur les visages et les gens se paraient de leurs plus beaux vêtements. En ce magnifique dimanche de juin, alors que les oiseaux voltigeaient au-dessus de nos têtes, le calme régnait dans le village. On pouvait entendre de loin les cloches de l'église sonner, annonçant la messe de huit heures. Ce matin-là n'était pas comme les autres. C'était le dimanche et les gens s'empressaient de se rendre à l'église. Ce grand jour nous en faisait voir de toutes les couleurs.

Je me vois encore étant petite fille. J'avais huit ans. J'avais de grands yeux bleus. Haute comme trois pommes, je portais une robe d'organdi rose empesée au sucre blanc, des souliers de cuir verni noir et un joli chapeau de paille. Je faisais partie des enfants les mieux habillés du dimanche. Pourtant, nous étions de pauvres gens, J'étais accompagnée de ma grande soeur, Melvine, une dame aux cheveux blonds que j'aimais beaucoup et qui portait elle aussi ses vêtements les plus élégants, et de mon petit frère, Clitus, endimanché des pieds à la tête. Ensemble, nous nous rendions à l'église qui était située tout près de notre demeure.

Bien entendu, plusieurs petites têtes nous regardaient de la fenêtre lorsque nous partions. Malheureusement, la plupart d'entre elles s'étaient levées trop tard pour venir avec nous à la première messe. Dans ma famille, nous avions appris très jeune à fréquenter l'église car c'était la maison de Dieu et il fallait la respecter. Les bonnes soeurs de l'école nous enseignaient dès notre première année ce qu'était la religion. C'était ancré en nous et, comme tous bons chrétiens baptisés, c'était un devoir.

Nous voilà agenouillés dans notre banc d'église faisant notre prière d'entrée. À ce moment, le curé Lanteigne vint chercher mon frère Clitus pour servir la messe. Quelque temps après, le prêtre fit son entrée, suivi d'une dizaine de servants de choeur, tous habillés de surplis pressés d'un blanc éclatant et d'une longue soutane noire boutonnée devant. En arrivant à la sainte table, les enfants, deux par deux, firent une génuflexion avant de se rendre à leur banc. Mon frère Clitus servit la messe, accompagné de Guy Leblanc, un de nos voisins. La messe débuta et toute la foule se leva pour saluer l'arrivée du prêtre. Quelques religieuses entonnèrent le chant d'ouverture en latin, ce qui était la coutume à l'époque. Assise sur mon banc, j'écoutais et je ne comprenais rien à cette langue. Heureusement que je savais que j'étais dans la maison de Dieu et c'était bien.

Je regardais mon frère et je l'admirais. Je trouvais qu'il avait de la chance d'être si près de l'autel. Chapelet en main, je tâtonnais chacune des perles et je récitais un «Je vous salue Marie» pour maman, papa, mes frères et soeurs. J'étais heureuse d'assister à cette première messe du dimanche. Je rêvais lorsque je m'aperçus que c'était le sermon du curé. Je me suis alors demandé si j'avais bien compris ce que j'avais cru entendre. Oui, le curé avait bien annoncé sa visite paroissiale. Elle se tiendrait dans une semaine environ.

Pendant la messe, je comptai sur mes doigts combien de jours il y avait dans une semaine. J'avais hâte de recevoir cette visite mais, d'un autre côté, je savais que le curé posait beaucoup de questions et ça me gênait. Quelques minutes plus tard, je me rendis compte que j'avais sommeillé. En me réveillant, monsieur le curé devait avoir dit quelque chose de comique car tout le monde riait. Lui également. J'aurais bien aimé entendre ce qu'il disait car j'aurais pu rire moi aussi. Toutefois, je n'osais pas le demander à ma soeur parce qu'elle m'aurait sûrement répondu:

- Reste éveillée.

J'ai appris, en écoutant les jasettes sur le perron de l'église, qu'il parlait des grandes familles. Il avait bien hâte de placer le nom des nouveaux-nés dans son registre. Plus il y en avait, plus ça augmentait sa dîme.

Ce bon père Lanteigne, ce qu'il avait beaucoup d'humour! De taille très grande, il était châtain. Il avait de larges épaules et d'immenses yeux bruns. Il réussissait parfois à faire tordre mon père de rire. D'un caractère assez sévère, il aimait les choses bien faites, mais à sa manière. Certes, la jasette avait été longue sur le perron de l'église. Tous parlaient de cette visite importante et s'empressaient d'annoncer la nouvelle à leur voisinage. Je me souviens qu'en arrivant chez nous, ma soeur Melvine annonça la nouvelle à mes parents. Toute la maisonnée résonna d'un murmure collectif. À haute voix, l'un disait:

- Il faut qu'on se prépare.

- Par quel bout va-t-il commencer? souligna-t-il.

Les autres membres de la famille se préparèrent pour la grande messe de dix heures, tandis que moi et mon frère aidâmes ma soeur à garder le jeune bébé, Dorice, et à faire un peu de ménage avec elle.

Le lundi matin, mon père était au quai de Petit-Rocher vers les cinq heures pour ramasser sa cargaison de poisson. Cette nuit-là avait été tellement chaude et les pêcheurs étaient arrivés un peu en retard pour la pêche. La mer était harmonieuse et tous les gens sur le quai entendaient de très loin le toc-toc des bateaux. Le ciel était rosâtre. Tous étaient éblouis par ce splendide lever de soleil. Ils semblaient deviner que le ciel voulait leur parler. Tout à coup, une voix venant de l'arrière du quai parvint à leurs oreilles:

- Allô toi, étais-tu à la messe du dimanche?

- Ben oui.

- Ça quasiment l'air qu'on va aouère la visite du curé.

- Ben, comme de coutume, y passe à chaque année. Je me demande ben si y va ramasser beaucoup d'argent...

- Ah, je sais qu'y a bien des p'tits en marche comme c'est là. J'sais au moins que son registre va augmenter.

- Ah! Ah! Ah! Ils n'entendirent plus un mot pendant un long bout de temps.

Une demi-heure plus tard, trois autres individus arrivèrent au quai. Ils restèrent dans leur auto, attendant l'arrivée des pêcheurs. Après quelques instants, la tête sortie en dehors de la fenêtre de l'auto, l'un deux s'écria:

- Allô Ti-Toine, qu'est-ce que tu fais icitte à matin de si bonne heure?

- Ah ben, la même chose que toi! Ah! Ah! Ah!

- Hey! Ti-Toine, j'en ai entendu une bonne. Y paraît que le père passe faire sa visite très bientôt et puis ça d'lair qu'y va augmenter sa dîme.

- Qu'est-ce que tu dis là, toi? Qui est-ce qui t'a dit ça?

- Ah, y paraît que tout le village parle de ça...

C'étaient les échos de la veille. Tous les gens parlaient de la visite du curé et plusieurs personnes rallongeaient l'histoire à leur façon. Pour certains, c'était une habitude de faire du commérage. Du moins, ça prouvait que la visite du curé était importante.

Le samedi suivant, alors que la lune servait de chandelier à tous les passants du voisinage, plusieurs en profitaient pour se promener dans les rues de Petit-Rocher. Ce soir-là, certains voisins auraient souhaité coucher dehors tellement la brise était chaude. On entendait le gazouillis du ruisseau qui longeait le chemin de la salle paroissiale. Le bedeau s'était promené toute l'après-midi sur la plage devant chez nous. Le soir venu, il s'était rendu au presbytère pour raconter au curé ce qu'il avait vu l'après-midi chez la grande famille vivant dans la chemin de la côte.

- Monsieur le curé, j'ai vu quelque chose de comique aujourd'hui. Je suis passé en avant des Morrison pour me rendre à la plage. Je ne sais pas au juste ce qui se passait là, mais c'avait l'air qu'ils faisaient leur grand ménage. La cuve se trouvait sur le parterre et les jeunes y ont tous passés les uns après les autres. Puis ce fut le tour des chaises, les quatre pattes en l'air, et même le chat et le chien.

Voilà que le curé se mit à rire.

- Y as-tu moyen qu'ils ont tout fait cela pour ma visite?

- Ben, c'est possible... Après tout, c'est déjà la surveille de la visite, fit le bedeau. Le curé ne put s'empêcher de rire aux éclats.

Le dimanche matin, vers les six heures, je me suis réveillée avec le toc-toc des bateaux. Notre demeure était située en face du quai et, de l'arrière, on voyait la salle paroissiale et le clocher de l'église. Nous étions près de tous ces édifices, incluant la coopérative qui servait de magasin général. Vers sept heures, les cloches de l'église réveillèrent maman qui se hâta de préparer le déjeuner. Deux autres de mes soeurs, Meldred et Rose, aidèrent à habiller quelques jeunes pour la messe de huit heures. Nous comptions déjà dix-huit enfants à la maison, alors ce n'était pas facile de tous assister à la première messe. Comme d'habitude, nous étions de mise, portant nos plus beaux vêtements du dimanche.

Maman était une femme très propre. Elle s'arrangeait toujours pour que chaque enfant ait un costume pressé pour le dimanche et pour les grandes occasions et deux ensembles pour l'école. De plus, il fallait du vieux linge pour jouer. Vers neuf heures, les autres membres de ma famille assistèrent à la messe de dix heures. Chaque famille de la paroisse avait son banc à l'église qu'on appelait le banc familial. Chez nous, c'était presque impossible de tous aller à la même messe, nous étions trop nombreux. Certes, ce n'était guère comme aujourd'hui. Chaque famille avait à payer son banc car ça aidait à couvrir les frais de l'église.

Ce dimanche, en soirée, tout était resplendissant. C'était un magnifique temps pour la marche. Soudain, vers huit heures environ, j'étais sur le bord de mon lit, regardant par la fenêtre. Je vis descendre une ramée de religieuses, les soeurs de Notre Dame du Sacré-Coeur. Souvent, elles prenaient leurs marches dans le chemin qui longeait la salle paroissiale et descendaient par chez nous. Elles passaient devant la plage, puis faisait un demi-tour pour se rendre dans le bocage où il y avait une statue de la Sainte-Anne. C'était un bel endroit pour méditer. Je m'y arrêtais souvent pour prier avec mes frères et soeurs.

En arrivant devant chez nous, j'ai pu entendre ce que les religieuses disaient car ma fenêtre était entrouverte. Simple coïncidence, tous les autres jeunes dormaient. Je prêtais l'oreille lorsque, soudain, l'une d'elles marmonna:

- C'est bizarre, on n'entend aucun bruit chez les Morrison. Il n'est pourtant pas tellement tard! Se peut-il que les enfants soient déjà couchés?

Certes, nous étions tous couchés depuis sept heures trente afin de mieux nous reposer. Il fallait être en forme pour le lendemain car la visite du curé commençait.

Ce soir-là, les religieuses racontèrent à leur responsable que c'était surprenant de voir la famille Morrison si tranquille. Personne ne bougeait dans la maison. Mais elles se doutaient que la famille se préparait pour la visite du curé.

Tard dans la soirée, j'avais de la difficulté à m'endormir. Je me suis aperçue que mes deux soeurs, Melvine et Meldred, s'étaient rendues au magasin chez Alcide Roy faire l'épicerie. En entrant, elles se firent poser quelques questions sur les enfants par un certain bonhomme qui connaissait bien mes parents. La caissière leur demanda si elles étaient prêtes pour la visite du curé. Elles répondirent que oui. Tout était en place. La grande fête était prête. C'est vrai que nous étions la famille la plus nombreuse de la paroisse. Les gens nous aimaient beaucoup et ils s'amusaient à nous taquiner.

Le jour même de la visite, papa se leva très tôt pour aller au quai chercher son poisson afin d'être à la maison lorsque le curé arriverait. Vers six heures, le va-et-vient commença. Maman se leva avec quelques-unes de mes soeurs aînées. Au bout d'une heure environ, les plus jeunes se levèrent les uns après les autres. Je vous dis qu'il y avait de l'action. Tous étaient à l'oeuvre.

La mère, qui s'était épivardée très tôt, avait les cheveux bien attachés par en arrière. De couleur noir, ils étaient un peu grisonnants. C'était une jolie femme, avec son grand tablier orné de sucettes de bébé et d'épingles à couches. Malgré l'empressement général, maman essayait encore de donner des ordres. Agités, les enfants se lançaient mutuellement des bottines. Pour eux, c'était plaisant, mais pas pour maman et mes soeurs qui essayaient de nous préparer. L'une d'elles s'exclama:

-   Mam, j'ai perdu mon bas.

-   Quelqu'un a pris mon soulier, lança Melvine à son tour.

La petite Éthel, âgée de trois ans, se réveilla et arriva en pleurnichant. Mouillée jusqu'au cou, elle n'était pas de bonne humeur. Meldred, l'aînée de la famille, se présenta en courant. D'un ton sévère, elle s'exclama:

67

- N'allez-vous pas vous tenir tranquille?

Vers huit heures, mon père retourna à la maison avec sa provision de poisson. En entrant, il annonça à ma mère que la providence avait été bonne. Il avait pêché une grande quantité de poisson. En remarquant la famille agir, il ne put faire autrement que poser la question:

- Qu'est-ce qui se passe ici aujourd'hui? Tout le monde est à la presse.

Le petit Raymond, âgé de quatre ans, répondit:

- Papa, ne sais-tu pas que c'est la visite du curé aujourd'hui?

- Ben, tabarouette de tabarouette, y a rien là. Arrêtez de vous en faire, c'est rien que le curé après tout. Y a déjà vu des grandes familles avant asteure, pis il nous prêche à longueur d'année de faire des p'tits. Bande d'énervés, arrêtez-moi ça! Soudain, le calme se fit.

Vers neuf heures environ, la petite Éthel se mit le nez à la fenêtre pour voir si le curé arrivait. Haute comme trois pommes, c'était une jolie rousse aux joues basanées. Tout à coup, elle s'écria:

- Y s'en vient de chez le voisin.

Melvine, ma grande soeur, fit asseoir tous les enfants sur le vieux banc. Coincés les uns sur les autres, personne n'osait ouvrir la bouche. Papa ouvrit la porte et salua monsieur le curé. Il le fit asseoir dans la grande cuisine où était installé le vieux banc. Pas un bruit se faisait entendre. On aurait cru voir des anges. Maman, qui était en train de changer la couche du bébé, salua le curé à son tour. Le visiteur ne put s'empêcher de rire lorsqu'il aperçut cette marmaille assise sans murmurer.

Il s'avança, fixa la petite Éthel, âgée de trois ans, et lui demanda son nom. Elle murmura moitié-haut, moitié-bas. Ensuite, il s'adressa aux jeunes d'âge scolaire.

-    Vous n'avez pas de classe aujourd'hui?

Ils répondirent tous ensemble:

-    Non monsieur le curé, nous avons congé.

Père Lanteigne leurs posa plusieurs autres questions, puis il s'adressa à la mère.

-    Et vous madame Morrison, comment ça va?

-    Très bien, monsieur le curé. Et vous?

-    Moi, ça ne peut pas aller mieux. Mes paroissiens sont bons pour moi, c'est tout ce que je leur demande.

Papa s'adressa ensuite au curé.

-    Monsieur le curé, combien de familles avez-vous visitées jusqu'à présent?

-    Je viens tout juste de commencer. J'ai débuté chez votre voisin. Comme tu peux le voir, James, j'ai encore un bon bout de chemin à faire.

Le curé posa quelques questions, puis il s'adressa encore aux enfants en leur donnant chacun une image et une médaille. Contents, ils le remercièrent gentiment. Pour eux, recevoir quelque chose du curé était fort apprécié. Le curé félicita papa et maman d'avoir une aussi belle famille. Par la suite, il demanda à maman quelle était sa recette pour nous avoir tous en aussi bonne santé. Maman répondit qu'elle cuisait beaucoup de bons légumes, du poisson et de la bonne soupe maison. De plus, elle soutint qu'elle s'arrangeait toujours pour avoir à la main du Wampole et de l'huile de foie de morue comme tonique.

Le Père Lanteigne avoua qu'elle s'y connaissait auprès des jeunes. Monsieur l'abbé était un homme assez curieux. Alors, il demanda aux parents combien il y avait de chambres à coucher dans la maison. La mère répondit en souriant:

-    Nous n'en avons que trois, mais il y en a une très grande pour compenser les deux autres. Je peux donc coucher plusieurs petits dans celle-là.

Le curé baissa la tête en souriant et il ajouta:

-    Il doit y avoir de la chicane parfois, n'est-ce pas les enfants?

Quelques-uns éclatèrent de rire. La mère s'exclama:

\-   Je ne pourrais certes pas vous le cacher; c'est bien comprenable avec une pareille marmaille.

Le père ajouta:

\-   Voulez-vous faire le tour des chambres monsieur le curé?

\-   Avec plaisir, répondit-il.

Papa et maman firent le tour avec lui et, tout à coup, une des petites nommée Marjorie, âgée de cinq ans, entra dans sa chambre et montra au curé sa belle paillasse fraîche de la veille. Certes, en voyant la hauteur des paillasses, il y avait de quoi rire. Mais c'était assez pour amuser les enfants également.

\-   Ces paillasses leur servent de tremplins. Ha! Ha! Ha! ajouta papa.

Avant de quitter les chambres, le curé s'émerveilla devant les crucifix et les images saintes qui décoraient les murs. En sortant des chambres, le visiteur se balada un peu partout dans la maison en admirant la simplicité du décor. Le long de l'escalier, plusieurs petites bottines étaient installées, ainsi qu'une laveuse à rouleau dans le coin, un vieux poêle des années trente accompagné d'une vieille théière usée, mais luisante comme un miroir.

Pour ce visiteur, jamais il n'avait eu la chance de visiter un aussi beau foyer qui était presqu'un musée. Ce n'était pas riche, mais propre et intéressant. Le curé s'adressa à nouveau aux enfants. Il leur parla de la première communion, du

71

catéchisme et de la confirmation. Puis, il donna sa bénédiction à toute la famille. Avant le départ du curé, papa, debout contre la porte, était songeur. Haut de six pieds, ce gros bonhomme de trois cents livres avait de grands yeux bleus et un sourire aux lèvres. Il s'étonnait de voir que Père Lanteigne n'avait pas encore posé la question tant atttendue.

Monsieur l'abbé salua les enfants, félicita papa et maman pour avoir accompli leur devoir d'état en ayant de nombreux enfants. Puis, il ajouta qu'il s'était plu de les avoir visités. Mes parents l'invitèrent à revenir. En nous quittant, il salua mes parents et, à la toute fin, le sourire aux lèvres, il s'adressa à ma mère:

- C'est pour quand le prochain p'tit? Puis il sortit en riant.

Pour cette grande famille, ce conte vécu durant les années cinquante restera toujours gravé dans leur coeur. C'était la visite annuelle du curé d'autrefois.

* * * * *

Yvonne Boudreau-Giachino
(Bathurst)

Lui...

Quand je pose mes yeux sur lui, en rêvassant, mon regard porte si loin et je m'émerveille tant que j'en oublie tout ce qui physiquement le distingue des autres hommes...

Tout de lui est généreux: Sa carrure à la Gérard Depardieu, son corps si grand, si lourd, coiffé d'une tignasse blonde, épaisse et rebelle, qui encadre une telle sensibilité, un tel talent pour la tendresse... Tous ses traits rassemblés forment une image qui m'émeut totalement. Une figure si mâle où le féminin est tant aimé fait parfois pouffer de rire mon coeur amoureux.

Ainsi, quand le temps est particulièrement doux à l'intérieur et que l'échange nous rapproche, ses yeux noisettes illuminent son visage, éclairant en même temps le mien, comme un soleil éveillant la lune. C'est à eux que je pense quand les fruits mûrissent dans la verdure au mois d'août, me rappelant la douceur de la communion. Le souvenir de sa voix me revient alors et cela fait les plus merveilleuses confitures pour les froides nuits d'hiver d'où il sera absent.

Je le regarde dormir, un rayon de soleil matinal encadrant sa bouche au mi-sourire inconscient. Deux profondes rainures tracent de chaque côté de son nez des sillons jusqu'aux coins de sa bouche. Souffrance non pleurée? Chemin pour les larmes non versées? Amours non vécues? Tant de choses de lui me sont encore inconnues!

Et pourtant, tant de lui s'est livré depuis notre rencontre. Ce qu'il me dévoile se révèle parce qu'il ne peut même pas, avec la volonté la plus féroce, me cacher qui il est. Il ne peut s'empêcher de me laisser l'aimer et mon amour voit trop clair.

Timide, presque timoré, pour ses qualités d'âme, il est recherché par sa profession, tant pour son magnétisme que pour son intelligence naturelle. Doté d'un gros bon sens, il appréhende le monde et la vie quotidienne à partir du concret.

Pourtant, son esprit vif manie le langage avec une facilité qui lui permet de passer des explications les plus savantes à la poésie la plus riche ou les mots d'esprit les plus subtils avec un bonheur qui ne cesse de surprendre. Au cours de ses nombreuses conférences traitant de son domaine de recherche, soit le rôle de l'ADN et le vieillissement, il séduit son auditoire par sa passion pour ce sujet si important pour l'évolution de l'humanité.

Parfois, il suffit d'un simple mot drôle de lui pour me sortir des pires catastrophes. Ce qui chez lui m'attire infailliblement pourtant, c'est la qualité de son silence. Un silence d'accueil inconditionnel et gratuit. Les antennes de son coeur lui sortent des oreilles tant son écoute me rejoint en profondeur.

Ce qui m'attire aussi, c'est sa parole. Elle prend chez lui la qualité de «Parole», celle que l'on dit du «Verbe». Il peut me consoler en puisant tant dans les Écritures que chez les poètes ou les écrivains anciens. On dirait qu'il a fait l'expérience de tout cela, lui. Et quand cela passe à travers l'eau si claire de son âme et se livre, enveloppé de la douceur qui pétrit ses cellules même, ma citerne se répare, ma source intérieure se remet à couler, limpide et pure comme à son origine.

Ce qui m'étonne aussi, c'est comment un être aussi transparent peut parfois se borner lui-même sur certains états profonds qui l'habitent. Comment, par exemple, peut-il nier la présence de l'agressivité en lui, comme si ce trait n'était pas le propre de tout être humain? Comment la nier au point de me refléter, lorsque je lui parle de ma propre violence de l'impossibilité de cette réalité en moi?

Et ce qui m'intrigue, sans me blesser toutefois, c'est le mutisme dans lequel il s'enferme quand il sent le moindre soupçon d'une intrusion dans son intimité. Cela peut se produire à n'importe quel moment sans prévenir. Tout à coup, oups, le voilà parti dans un profond silence où, me dit-il, il se sent enfermé, emprisonné, ligoté. C'est un silence gluant d'où il ne peut s'extirper qu'après un long moment si pénible pour lui.

Dans un moment de grande intimité, il m'explique que lorsqu'il essaie alors de s'ouvrir, il sent sa langue remplir toute sa bouche. Cela empêche l'émergence des sons qui le sortiraient de sa solitude et exprimeraient sa souffrance. Le jour où j'ai trouvé le moyen de le joindre dans sa prison muette, ce fut jour de fête pour moi... et pour lui.

Depuis lors, ses temps de fermeture sont beaucoup moins longs. C'est qu'alors, je prends le temps d'accueillir, de respecter, d'écouter son silence souffrant. Puis, doucement, je pose ma main sur sa joue, son bras ou son genou. Sans attente. Sans rien. Juste la sensation que tout est bien entre nous. Juste lui dire que moi non plus je ne comprends pas ce qui se passe en lui, mais que cela n'est pas grave et que la paix demeure en moi. Et tout cela sans parole, le message inscrit dans le ton du geste. Et bientôt, son sourire un peu timide revient. Puis un mot drôle, un geste tendre... Et voilà que le soleil brille à nouveau entre nous.

J'écris là des facettes du visage intérieur de mon amour, à la fois si blessé et si riche. Je suis bien consciente qu'il s'agit de tentatives bien pauvres, de lambeaux presque. Je sens son mystère si profond que mes simples mots se paralysent quand je veux le dire et je demeure silencieuse devant le cristal éclatant dont les failles n'empêchent toutefois pas le passage des rayons du soleil qui réchauffent son âme et la mienne.

* * * * *

Je l'attends. Depuis midi, je l'attends près de l'hôpital comme décidé ensemble au téléphone. J'attends depuis maintenant une heure. Sa Volvo noire garée à l'affiche «Directeur» me dit qu'il est là. Je relis l'article sous sa photo dans l'hebdomadaire «Le Point». Figure centrale d'un événement malheureux prenant depuis une semaine des proportions de plus en plus alarmantes, ses journées sont ponctuées d'entrevues et de réunions.

Je tente de me mettre à sa place. Mon coeur déborde de compassion. Lui, je l'ai senti dans sa voix au téléphone ce matin, garde le calme malgré les questions qui lui déchirent l'âme.

La porte de la sortie du personnel médical s'entrouvre. Jean se dirige vers moi. J'ouvre la portière et l'invite à s'asseoir.

- Je m'excuse de ce retard. C'est impardonnable, me dit-il en prenant ma main tendue entre les siennes, chaudes et enveloppantes. Ses yeux expriment son regret et sa compassion. J'évite de lui parler des idées folles qui virevoltent dans ma tête. Je lui ai déjà confié comment mon esprit dérape dans un labryrinthe affolant quand l'attente se prolonge. Et le doute s'éveille alors en moi. Par cette déchirure s'échappe de mon coeur tant de souffrances! Et surtout la peur que l'on ne puisse m'aimer moi, ni me choisir parmi toutes. Et tous les jugements qui émergent face à cette relation dans laquelle je m'engage, alors qu'il y a tant d'obstacles à cet amour.

- Je t'en prie, ne t'accuse pas, lui dis-je. Ne t'excuse même pas. Je comprends tout. J'ai suivi les nouvelles. Si nous pouvions aller ailleurs passer une heure ensemble...

- Oh! Oui. Où préfères-tu aller?

Nous nous entendons pour un petit café qu'il connait. Nous nous y rendons séparément.

Quel plaisir de le suivre alors qu'il me guide dans la circulation de cette veille de Noël! C'est le seul moment que son horaire chargé et ses responsabilités familiales nous permettent. Mes trois heures de route et l'heure d'attente sont bien vite oubliées.

Je choisis une table près du foyer où pétille une bûche. Une cantate de Bach tapisse doucement l'arrière fond. Un arbre de Noël éclaire l'espace comme mon coeur éclaire mon intérieur. Il n'y a de place ici ni pour les inquiétudes ni pour les questionnements qui m'assaillent dès que je me retrouve seule dans ma petite maison dans la montagne où je vis isolée pour écrire.

La joie d'être près de lui prend toute la place en moi. Je sens mon coeur bondir comme quand, toute petite, j'attendais la visite de mon père au pensionnat.

Je me revois alors assise sur le sol près de la route. Je lance des cailloux comme des oracles qui me diront si enfin ce vendredi soir, je verrai poindre la Studebaker deux tonnes de mon père. Viendra-t-il enfin chercher sa petite fille? S'ennuiera-t-il assez pour cela? Compte-t-elle assez pour lui? Oh! Brûlante et stérile attente!

Cette image devrait me dire déjà la nature de cet élan si passionné qui me pousse vers cet homme marié, père d'une fille de dix ans, pris par sa profession et dont la vie si pleine en fait un être rare pour tous ceux qui se disputent un petit morceau de son temps et de son attention. Cela devrait m'en dire beaucoup sur ma propre vie intérieure...

Mais l'heure n'est pas à l'analyse. Cet amour qui me remplit et vibre en moi depuis notre rencontre, il y a un mois à peine, a l'effet sur mon coeur d'une poudre de perlinpinpin qui me fait oublier toute raison et tout questionnement dès que je suis en sa présence.

Je n'ai faim de rien d'autre que de son regard. Je n'ai soif que de la source où s'alimentent ses yeux posés sur moi avec une certaine timidité, mais où se cache une telle tendresse!

Mes doigts brûlent du désir de toucher les poils dorés de son avant-bras. Je n'ose pas.

- Et comment vas-tu? me demande-t-il doucement.

- Maintenant que tu es là... merveilleusement bien! lui dis-je.

Une lueur s'allume alors dans son regard intense. Un demi sourire effleure ses lèvres et un silence plein jaillit entre nous. La communication se fait et le reste du monde passe à l'arrière plan. Tout ce qui compte en cet instant de lumière, c'est d'être. Juste être là. Juste être ensemble. Être liés par cette communication sans paroles qui nous fait tant de bien.

* * * * *

- J'ai besoin de toi. J'ai tant besoin de réfléchir avec toi, me dit-il intensément. Te dire mes nuits agitées, hantées par l'image de cette enfant Micmac décédée à la salle d'urgence... Pieds et mains liés... Comme une criminelle... Mes courts moments de sommeil où le visage de ma Marie-Claude se substitue à celui de cette petite victime d'une erreur incorrigible et impardonnable. Erreur de jugement enracinée dans le racisme qui nous frappe aujourd'hui de plein front. Ce fut facile de la croire droguée... Après tout, ce n'était qu'une adolescente Micmac...

On a appelé les policiers qui lui ont lié les mains et les pieds pour la contraindre alors qu'elle se débattait dans la peur de mourir. Elle s'est noyée alors que ses poumons se sont remplis d'eau en réaction allergique aux médicaments prescrits par notre personnel alors qu'elle souffrait d'une crise d'arthrose...

Les yeux rivés sur sa souffrance, j'accueille toute compassion. Et le questionnement continue:

- Comment ai-je pu être si aveugle? Comment le racisme qui pourrit les relations et le service de notre hôpital a-t-il pu m'échapper? Suis-je inconscient à ce point qu'il a fallu la mort d'une enfant pour m'éveiller? Quelle rançon à payer pour cette famille, pour cette communauté! Quelle abîme de souffrance!

Son visage torturé se calme peu à peu. Il est seul dans sa réflexion. Et des bribes de solution lui viennent. Lentement, comme une ficelle qu'il tire du fond de son âme, montent à la lumière des paroles décisives. Il rencontrera la famille si cruellement éprouvée. Entamer un dialogue. Humilité.. Pardon... Tout mettre en oeuvre pour que la situation change. S'éduquer, se sensibiliser... Mettre en place des garanties pour l'avenir. Impliquer les autochtones... Les sans voix... Les exclus... Il a dit comme un long monologue, la transformation qui émerge des profondeurs de son être. Puis un long silence prégnant... Un silence où s'enracine une résolution ferme... Enfin un profond soupir... Tout s'accomplit déjà en lui.

Et alors nos yeux se rencontrent à nouveau... son regard pacifié... décisif... Le mien aimant... Oh! si aimant.

* * * * *

- Mmm! Regarde! lui dis-je.

Le soleil fait briller les cristaux de neige sur l'appui de la fenêtre et voilà que la magie s'empare de nous deux.

- Cela me fait penser à mon enfance, dit-il rêveusement. Je me revois marcher sur la neige croûtée de février par des sentiers magiques où frémissent les cristaux dans les bouleaux lumineux.

- Je murmure alors, émue: «Le poète s'éveille»?

- C'est contagieux. Et si rare dans ma vie! me répond-il doucement. C'est ce que tu éveilles en moi. Et aussi un parfum de printemps. Et le chant de la source. Et la biche gracile, ajoute-t-il.

- Oui? Et encore? lui dis-je, avide de tout ce qui se passe en lui.

J'ai tant besoin qu'il me dise qui je suis pour lui, pour savoir qui je suis, moi. Les silences si pleins qui caractérisent ces moments rares de notre vie pointillent notre rencontre. Et je m'y retrouve. Et je m'y reconnais. Et mon âme revit.

Après un moment, lorsque la serveuse vient prendre mon assiette où je n'ai pris qu'une bouchée, je lui dis, surprise:

- Mais... je n'ai pas terminé.

- Excusez-moi, madame! me dit-elle, mal à l'aise.

Un pâle sourire effleure les lèvres de Jean. Non seulement ai-je oublié le temps. J'ai aussi oublié de manger, perdue avec lui dans cette expérience qui changera à jamais et sa vie et la mienne. Nos regards partagent l'espoir qui s'allume dans cette nuit. Que le drame de Louise Labillois serve à faire tomber les barrières entre nous, être humains. Et qu'il advienne enfin le jour de l'égalité véritable.

* * * * *

Anna Girouard
(Ste-Marie de Kent)

Épiée

Entrer dans une cathédrale abandonnée n'aurait pas pu être plus émouvant! C'était une vieille maison de famille dans une région rurale, longeant la rivière de Bouctouche. C'était le refuge de ma jeunesse. Quel émerveillement! Mes souvenirs s'entrechoquaient dans une ambiance sacrée.

Je marchai sur une longue galerie encombrée de vieux barils, de poêles antiques, de chaises défoncées, de tapis troués, etc. Je regrettais l'ordre d'antan, mais les murs papiétés de sacs de farine peints à la chaux faisaient renaître les joies de mon enfance. Une vieille photo au cadre disloqué me rappelait alors les rires des après-midi de cantiques chantés jadis. Le sofa longeait tout un mur de la grande cuisine, la table poussiéreuse à côté d'une fenêtre, le téléviseur en bois massif nappé de paperasses, tout ce fatras coiffé du tic tac de l'horloge cachait le rythme de la vieille chanson: «Un Acadien errant», que nous chantions en canon avec ma mère en lavant la vaisselle.

Même les gouttes d'eau, qui coulaient du robinet juché dans le milieu d'un vieil évier assis sur un petit comptoir garni de «mactac quadrillé» vert, semblaient rythmer les voix entre les cordes de guitare de mes frères imitant «Let it be me» des Everly Brothers. Alors là, en regardant la planchette taillée par mon père, une pulsion intérieure m'invitait à décorer la demeure de mon adolescence.

Mon mari, mes deux fils et moi étions d'accord pour la louer. Après avoir vécu un certain temps en ville, la campagne nous souriait enfin! Vivre en pleine nature! Je jubilais! Mais cette maison branlante avec sa toiture trouée, ses fenêtres cassées, sa fondation en moellons disjoints était prête à s'écrouler. Je désirais tellement qu'elle devienne belle cette maison!

Il a fallu enlever les fenêtres, laver et peindre les châssis en plus de remplacer les vitres cassées pour atténuer les brises de septembre. Mes livres chancelaient sur le fond turquoise des étagères mur à mur en contreplaqué. J'avais enfin mon coin. Entre les travaux, ma tête savourait la psychologie et la sociologie. Après une longue période de lecture matinale, je goudronnais la toiture, je bouchais les murs de la cave, j'installais les châssis doubles et je terrassais le sol en tassant de la terre sous la paille autour de la maison. Des questions rebondissaient souvent dans ma tête. Comment isoler cette demeure centenaire? Comment calfeutrer les fuites d'air entre les murs papiétés et les poutres? Ah! cette maison pleine de problèmes serait-elle habitable pendant les froids de décembre?

En effet, nous ne dûmes pas attendre longtemps pour le savoir. L'hiver passait à travers les craques calfeutrées de guenilles. Je sentais le froid monter comme mille et une ventouses drainant la chaleur. Il fallait faire quelque chose. Afin de ne pas geler, on s'agitait et on travaillait dur. Tous les matins, mon fils et moi exécutions un projet différent de calfeutrage: fabriquer des rideaux doublés de laine, poser des plastiques sur une porte renflée par la gelée qui fermait mal, recouvrir de papier l'intérieur des armoires, confectionner et installer de petits tapis pour amoindrir les courants d'air du plancher troué et j'en passe. Miracle, à force de travailler, on oubliait le froid.

Tous les matins, après avoir ajouté du bois dans le poêle, je préparais les crêpes sur la cuisinière avec un manteau d'hiver. Mon aîné prenait l'autobus scolaire à huit heures. Mon cadet de deux ans, Sagamo, assis dans sa chaise haute, se laissait frotter les mains jusqu'à ce qu'elles prennent une couleur rosée. Ensuite, il m'aidait à surveiller le feu. Le pauvre petit, il ne disait jamais rien même s'il avait souvent mal aux oreilles. Même s'il faisait froid, on patientait de longues heures pour faire du feu.

Oui, faire du feu! Même avec de la braise dans le fond du poêle, c'était toute une tâche. J'avais acheté du bois tellement vert. J'avais beau mettre des journaux, du «mashkoui», les flammes se tordaient et s'éteignaient. Il fallait bien mettre trois heures à «pigouiller» le feu avant qu'on sente la chaleur.

Je n'ai jamais maudit le voisin qui m'avait vendu le bois vert, du tremble par-dessus le marché. Je me disais, par contre, que j'apprenais dûrement à tenir une maison de campagne. Toutefois, le froid arrachait souvent le peu de force qui me restait pour faire rire ma famille. Malgré tout, je me souviens de cette remarque d'une dame Arseneault qui traduisait bien ma pensée à la radio: «J'écris pour ceux et celles qui ont froid aux pieds». Comme par magie, il faisait moins froid et je jouais à cache-cache avec mon fils.

Un soir, une semaine avant Noël, j'entendis un bruit alarmant. Malgré la fatigue, je me suis levée en toute hâte. Le bruit cessa. J'allumai. Ce soir-là, je me suis sentie observée. On frappa fort contre un châssis. Je demeurai figée sur place, sans rien voir. Les coups continuèrent. Les yeux ouverts, j'écoutai. Sur la pointe des pieds, je saisis une tringle à rideau et je descendis l'escalier étroit. En ouvrant brusquement la porte au pied de l'escalier, je ne vis rien. La nuit... Obscurité totale... Ouf! Rien.

L'oreille tendue, un bruit sourd déchira l'air. On aurait dit qu'il venait du toit de la maison. Quelqu'un était-il sur le toit? Je remontai. Je pénétrai dans la chambre des garçons. Ils dormaient comme des roches au soleil. Le bruit cessa. Une ombre traversa la fenêtre. Cette ombre me fit frissonner. D'un seul mouvement des bras, chancelante, je remontai le châssis. Je me suis alors penchée et j'ai «huché»:

- Qui est là?

Un coup de vent me fit reculer. J'ai dû parler un peu trop fort car les enfants se sont réveillés. Mon aîné m'aperçut. Il frotta ses yeux de ses poings. Quand il comprit qu'il y avait peut-être du danger, il prit son épée, taillée la veille de ses propres mains. Heureux de pouvoir utiliser son arme, il sortit bravement son épée puis sortit doucement sa tête d'enfant à l'extérieur de la fenêtre. Alors là, surprise, il éclata de rire. Une corneille géante s'était prise la patte dans le fil de l'antenne de télévision. Il dessera le fil qui retenait la patte de l'animal et la bête s'enfuit. Quand le calme fut revenu, nous nous sommes endormis en riant.

* * * * *

La présence de mon mari pendant les fêtes nous rassura. Travaillant de nuit, il devait souvent rester en ville pendant la semaine. Cette semaine-là, nous dormâmes sans incident. Après les fêtes, quand il retourna à son poste de directeur de l'information au journal de la localité, nous semblions moins rassurés.

Un soir de janvier, un ronronnement sourd se fit entendre. On aurait dit que quelqu'un se balançait dans le fauteuil offert à Noël par tante Patty. Un fantôme habitait-il cette antique demeure? Je descendis les escaliers, une poignée de gros sel dans la main, croyant fermement que le sel aveuglerait tout fantôme maléfique. Je n'avais pas peur car j'étais décidée à faire disparaître à tout jamais cette impression d'être guettée.

Même si j'entendais de mieux en mieux le balancement de la berceuse, rien ne pouvait arrêter ma détermination de me libérer de ce regard pénétrant qui semblait me suivre. J'avançai alors droit vers la berceuse et la retournai. Qui était assis dans la chaise? Le fantôme, c'était le chat qui jouait avec mon tricot. Confuse de ma poltronnerie, quand la bête bondit, j'ai poussé un petit cri. Les enfants accoururent, prêts à me défendre. Je leur ai tout raconté et nous avons bien ri.

Malgré ces inconvénients, de petits incidents de la sorte entretenaient notre bonne humeur.

* * * * *

Plus le printemps laissait de longs sillons d'eau dans la neige, plus nous avions le rire facile. Un rien nous égayait. Les enfants s'amusaient à de petits gestes qui nous enchantaient. L'aîné construisait des cabanes avec des couvertures, le petit s'y couchait avec le chien et s'y endormait. Néanmoins, si la maison devenait de plus en plus habitable, nous n'avions toujours pas d'eau courante.

Mon père avait installé une vieille pompe improvisée à une poutre du plancher de la cuisine. Chaque fois que la pompe partait, on aurait pu croire que le tonnerre grondait et que la maison déboulait. Tant de bruit pour cueillir de l'eau remplie de sable et d'huile!

Depuis notre déménagement, nous avions dressé de grands barils aux quatre coins de la maison et nous sauvions l'eau de pluie. L'hiver, nous faisions fondre de la neige. C'était avec cette eau que nous faisions la lessive. Mais quand il manquait d'eau potable, nous devions aller en chercher en bas de la côte. Alors, nous descendions un «cap à pic», chacun un seau à la main. Remonter la falaise en tenant un seau rempli d'eau n'était pas simple. Une fois arrivés en haut, il ne nous restait que quelques gouttes dans le fond du seau. Pourtant, on s'encourageait. On se disait: «Beau travail!». C'est avec quelques gouttes qu'on fait des rivières.

Heureux, on recommençait. On remplit ainsi deux grands bidons. Mais une colline séparait la maison. On installait alors les bidons dans la boîte d'un petit camion rouge, puis on y attelait notre chien. Là, le chien tirait à grands coups et les enfants poussaient le camion. Cette remontée exigeait énormément de patience et d'adresse, car il fallait surveiller l'eau. Le chien qui tiraillait par saccades trop brusques renversait souvent l'eau. Le chien et les enfants arrivaient la plupart du temps trempés. Nous voyant manoeuvrer de la sorte, mon père avait confectionné un collier de feutre doublé pour faciliter l'effort du chien.

Vaillant et très protecteur, cet animal avait aussi le don de nous aider et de nous protéger. Il amenait de gros cailloux dans sa gueule, cailloux qui servaient à terrasser la maison. On dirait qu'il comprenait notre désarroi. Lorsque le petit s'éloignait de la maison, il le ramenait en le poussant délicatement dans le dos avec son museau. C'était un bon chien!

Un jour que j'étais à la source en train de puiser de l'eau, entre la mousse et les buissons au milieu du cap à pic, je sentis une présence nous espionner. Craquements de branches. Silence! Éboulis de terre. Silence! Sans hésiter, je saisis la main de mon fils de trois ans tout en posant son petit seau à terre. Je lui fis signe de garder le silence. Nous nous sommes accroupis et nous avons guetté quelques instants pour découvrir qui était l'intrus. Je frissonnais en pensant que les voisins n'entendraient sûrement pas mes appels au secours. Je repris mon souffle et je criai à tue-tête:

- Qui est là?

Silence. Je couvris mon petit afin de le protéger. Quand j'osai lever la tête, j'aperçus le chien. Notre protecteur fidèle, cailloux en gueule, sortit de l'ombre du grand sapin vert. C'était donc lui qui guettait nos moindres pas.

* * * * *

Un an plus tard, nous pouvions ranger les choses chacune à leur place sans nous enfarger dans les planches. La maison prenait des allures de petit paradis. Le bonheur était tel que je ne voyais pas les vulgaires planches soutenant encore mon évier neuf. Le samedi, je cuisais du bon pain, des tartes, des gâteaux et des biscuits. Le repas du soir servi sur la table ressemblait à un festin. De temps à autres, nous invitions nos amis. S'asseoir autour de la table était un grand moment, surtout quand nous remercions la vie de nous avoir accordé de si bons amis.

Un soir, nous avions de la visite. Au souper, pendant la prière, mon mari se leva et s'allongea front, poitrine, genoux et pied par terre pour se moquer en quelque sorte de la «salutation au soleil» que j'exécutais tous les matins. Le petit l'imita. Sans rien dire, il se releva et se rassit. Le petit reprit aussi sa place. Comme mon mari jouait constamment à faire le fou, les convives et moi avons bien ri. Pour lui, exprimer ses sentiments était tout aussi nécessaire qu'un bon repas. Ce soir-là, nous avons eu une longue discussion animée sur le respect dû aux rites et aux pratiques religieuses.

Parmi les invités figuraient un médecin et un homme de loi, accompagnés de leur épouse, une de mes amies infirmière et un procureur de la couronne. Ravis de leur soirée, ils nous quittèrent en riant et nous invitèrent à leur rendre visite. D'ordinaire, nous refusions toute invitation en expliquant notre obligation de ne jamais laisser les enfants seuls. Cette fois-là, nous n'avions pas refusé.

* * * * *

Le lendemain, après le repas du midi, mon mari partit à son travail. Je me livrais avec les enfants à diverses activités intéressantes. Ce dimanche-là, les enfants et le chien me supplièrent de les emmener sur la rivière gelée. Nous avons alors attaché les patins sur le traîneau que le chien prenait plaisir à tirer. Les enfants s'empressèrent de dévaler la côte et de mettre leurs patins. Quand je me suis agenouillée près du petit pour serrer la boucle de son patin, il me dit:

-   Il y a quelqu'un dans les branches là-bas.

-   Oh! ce doit être un ange qui est là pour te protéger, ai-je répondu pour le rassurer.

Un air pur recouvrait la vallée. Le petit patina de son mieux, même s'il lui arrivait fort souvent de se retrouver assis sur la glace. Les enfants se fatiguaient vite. Il fallait rentrer. Alors, nous avons attelé le chien à la luge. Le chien tirait, glissait, tournait et paraissait avoir autant de plaisir que nous. Je me mettais en avant et le chien me suivait. Au moment même où je l'appelai, il se donnait l'air à courir en entraînant rapidement le traîneau par petites secousses dans un mouvement circulaire. À la grande joie des enfants, assis sur la luge qui zigzaguait, ils se retrouvaient vite sur le dos. Les rires des enfants retentissaient, repris en canon par l'écho émis par les deux rangées de sapins verts bordant chaque côté de la rivière. Quand le chien était fatigué, il s'asseyait en allongeant le cou afin de recevoir une caresse affectueuse.

Ce jour-là, cette bête docile semblait inquiète. Regardant vers le coude de la rivière, il commença soudain à japper. Les enfants se serrèrent contre mon manteau. Une peur soudaine nous saisit. Les garçons s'emparèrent chacun d'une branche. L'aîné sortit son épée de sa botte. Je détachai le chien. Au même moment, nous nous reculâmes rapidement pour éviter une motoneige qui émergeait brusquement du sous-bois. Nous ne pûmes reconnaître le chauffeur. Comme le chien grondait férocement, celui-ci fit demi-tour et s'éloigna dans l'autre direction. J'étais très fière des enfants et du chien, tous deux près de moi en position de défense.

Ce soir-là, le sommeil nous gagna vite. En pleine nuit, je crus entendre bouger. J'étais fière des enfants et du chien. J'allais me rendormir quand un vif courant d'air froid me frappa au visage. Un vent violent devait avoir ouvert la porte d'entrée qui fermait très mal. Luttant contre une certaine crainte, je descendis tout en essayant de me rassurer que ce devait être simplement un coup de vent. En effet, la porte d'entrée était grande ouverte. En me retournant dans la noirceur, je butai contre un canard décoratif qui servait à garder la porte ouverte. Je perdis l'équilibre et je m'étalai de tout mon long. Prise de panique, je me relevai en toute hâte et je saisis la poignée pour refermer cette porte rebelle. La voix d'un homme m'épouvanta.

-   Bonsoir. Excusez-moi, mais...

-   Qu'est-ce que vous faites ici? criai-je en allumant.

-   J'ai oublié mes gants. J'ai beaucoup aimé votre repas, vous savez.

-   Ah! c'est vous. Vous, mais vous êtes l'ami de mon mari.

-   Vous êtes une bonne petite dame. J'aimerais vous connaître un peu plus, fit l'homme en s'introduisant davantage dans la maison.

-   Vous avez une drôle de façon de vous présenter à cette heure de la nuit, sans cogner, sans téléphoner.

- Quand je m'apprêtais à cogner, la porte s'est ouverte toute seule et, d'ailleurs, je passais par là.

- Ce n'est pas une raison pour déranger une femme et des enfants qui ont besoin de sommeil pour aller à l'école. Vos gants sont ici. Maintenant, vous pouvez vous en aller. Sortez, criai-je entre les dents.

- C'est ce que j'aime, vous voir fâchée.

- Sortez, dis-je en rougissant de colère. Allez voir mon mari.

- Madame, j'ai besoin de parler avec vous, continua-t-il, à moitié ivre.

- Mais sortez donc, insistai-je en le poussant petit à petit sur le perron de la porte.

Pendant ce temps, les enfants se sont réveillés. Le chien guettait. Quand le plus grand brandit d'une main son épée et l'autre tint son petit frère éloigné, le chien gronda. Alors l'homme saisit violemment ses gants et s'élança comme s'il voulait me frapper. Le berger allemand était prêt à attaquer. Le procureur recula et dit en marmonnant d'un ton menaçant:

- «Stupid house!»

Là-dessus, il avait bien raison, c'était une maison difficile à aménager. Toutefois, ni les enfants ni moi n'avions apprécié cet incident nocturne. Ça nous a fait réfléchir sur la sécurité de notre foyer. En coinçant une chaise contre la porte d'entrée, nous montâmes dans nos chambres. Les nerfs à vif, j'essayai de faire oublier cet incident aux enfants. Les enfants vantaient notre chien; moi, je vantais le courage de mes chers petits.

* * * * *

Lorsque je suis allée chercher mon fils chez son ami, sa mère nous invita, le petit et moi, à entrer. Elle m'expliqua qu'elle sous-louait la maison de sa belle-soeur pour l'été. Le mari de son ami était agent de la loi.

Pendant qu'elle préparait le thé, mes yeux tombèrent sur un téléscope installé sur un trépied près de la fenêtre. La science me fascinait depuis longtemps, alors j'ai osé regarder dans la loupe pour voir quel astre était observé. La lentille était braquée sur ma maison. Mon oeil resta rivé sur l'objectif quelques instants. Je voulais crier! Je repris mon sang froid et, sans hésiter, je questionnai:

- Qui est le mari de votre belle-soeur?

- Il travaille à la maison.

- Que fait-il comme travail?

- Il est agent de... je ne sais pas trop.

- Agent?

- Il observe les gens.

- Aime-t-il les gens au point de les examiner des pieds à la tête?

- Je ne sais pas. Je sais qu'il est aussi fasciné par les astres.

- Il aime les astres tant que ça?

- Je ne sais pas. Il aime tout: Les astres, les gens.

- Oh! je ne sais pas. Sais-tu pourquoi l'objectif du téléscope est braqué sur ma maison?

- Oh! je ne sais pas. Le téléscope est probablement dérangé. Il examine peut-être le style de toutes les maisons comme ça?

- Observer une maison pendant six mois? questionnai-je.

- Oh! ne vous en faites pas. On ne comprend pas toujours le travail du monde. Ne vous en faites pas. Je connais bien mon beau-frère. Il n'aime pas déranger les gens. Il rit tout le temps. Depuis qu'il s'est cassé un pied, il ne peut plus être policier, alors il travaille à la maison. C'est un travail comme un autre, je suppose.

- Votre thé à la menthe est délicieux, ai-je répondu, distraite.

Sur le chemin du retour, en ramenant les enfants à la maison, j'étais muette. Les enfants me racontaient leur journée, mais ma tête sondait chaque argument. Je m'inquiétais. Les enfants m'avaient défendu jusqu'alors, mais comment pourrais-je les défendre à mon tour devant une force que je ne pouvais pas tout à fait identifier?

Lorsque j'en discutai avec mon mari, il fit des gestes comme à l'accoutumée. J'ai bien ri. Je lui expliquai que le fait de voir ma maison dans un objectif étranger me dérangeait.

- Êtes-vous vraiment surveillée, madame? Alors répondez-moi, pourquoi? Et surtout par qui? en prenant son air de journaliste.

- J'essaie de me convaincre du contraire. Le télescope était peut-être mal ajusté.

- Oui, c'était probablement ça. Ce pauvre télescope devait avoir le pied usé, surtout s'il a servi à déshabiller...

- Drôle de coïncidence tout de même que cet objectif soit braqué sur notre pauvre maison!

- C'est une question, chère madame, pour Sherlock Holmes.

- Ne badine pas, lui dis-je. Je suis certaine d'une chose. J'ai toujours cette impression d'être observée.

- Oui, ma chère, cette impression vous fait frémir. Venez donc frémir dans mes bras.

- Je suis certaine d'une chose, c'est que cette sensation est réelle.

- Pensez-vous, ma très chère épouse, que d'autres Canadiens se sentent aussi épiés?

* * * * *

**Viviane Lapointe
(Beresford)**

Le cauchemar

Il était une fois trois amies qui se préparaient pour le grand jour des retrouvailles. Trois amies que la vie avait séparées et qui se retrouvaient chaque année, durant les vacances, dans leur petit village natal. Elles planifiaient toujours une journée ensemble. Celle-ci se déroulait comme un conte de fées, dans la magie des fous rires espiègles, du temps qui n'existe plus...

26 juillet, 7 heures du matin. Quand je me suis levée, j'avais le coeur en fête et le sourire accroché au visage. Je me suis langoureusement étirée dans mon lit comme un chat. J'ai mis ma robe de chambre et je suis sortie dehors. La journée s'annonçait superbe. Il était tôt et j'en ai profité pour flâner un peu, pour écouter le chant des oiseaux si doux à mon oreille et pour respirer cet air salin que j'aime tant. Puis, je suis rentrée à la maison. J'ai pris une douche et je me suis préparée. J'ai déjeuné sur la terrasse. Je prenais plaisir, après avoir épluché une bonne grosse orange juteuse, à admirer toute cette belle nature qui s'offrait à moi. J'étais entourée d'arbres et de fleurs toutes aussi belles les unes que les autres.

Neuf heures. Il est temps de partir. Inuk, mon gros chien, nous accompagne. Il fait partie de la fête. Je suis passée prendre Laurie et Suzanne. Chemin faisant, nous nous sommes arrêtées chez Léo, notre marchand de poisson préféré, pour y acheter du homard. Puis, à la boulangerie, nous nous sommes procurés du bon pain encore chaud. À la pâtisserie, nous avons ramassé nos chers babas au rhum. Bref, de quoi nous faire un festin de roi!

Nous avons longé la côte et sommes passées à travers quelques petits villages tout aussi pittoresques les uns que les autres pour arriver à destination... Nous atteignîmes un petit chemin de terre et d'herbe qui serpente d'un côté le champ du cultivateur et de l'autre une bordée de rosiers sauvages. Plus loin, il y avait quelques arbres et, dans le détour, la mer, avec ses reflets émeraudes et turquoises, qui s'offrait à nous comme un joyau dans son écrin. Nous laissâmes la voiture sur le côté de la route. D'ailleurs, on ne pouvait guère aller plus loin, car c'était ici que la route se terminait.

Il y a plusieurs années que nous avons découvert, tout à fait par hasard, ce petit coin de paradis. Nous avons demandé au cultivateur la permission de passer sur sa terre. Lui, il est allé demander à sa vieille ce qu'elle en pensait... Depuis ce temps-là, cet endroit merveilleux est devenu notre lieu de rencontre.

Nous sortîmes nos bagages de la voiture. Un vrai déménagement! Nous descendîmes la petite dune de sable et nous nous installâmes sur la plage qui s'étendait à perte de vue. Elle était comme un manteau de fourrure: chaude et zébrée de beige et de brun. Elle était propre. Il n'y avait pas de cailloux, pas de coquillages et pas d'algues marines. Elle n'était pas non plus jonchée de détritus.

Nous en profitâmes pour nous raconter les événements de la dernière année, nous amuser, chanter, danser, rire à gorge déployée, marcher sur le bord de la plage et bien manger. La journée se déroulait à merveille.

Plus tard, pendant que Suzanne faisait de la plongée de surface, je me prélassais au soleil alors que Laurie lisait tranquillement un livre, absorbée par la lecture de son dernier roman. Un bruit insolite me fit sursauter... J'entendis soudain comme le bruit d'un vieux tacot. Je me suis retournée. Un vieux camion rouge brique tout rouillé avait surgi d'on ne sait où. Il apparut sur le bord de la dune. Le conducteur ouvrit alors la portière et s'appuya sur celle-ci. Il était âgé. Il avait les cheveux ébouriffés et son chandail était sale et troué.

Tout à coup, l'homme s'est mis à vociférer des choses tout à fait inaudibles et inintelligentes. On aurait dit qu'il avait la rage. Il avait les yeux fendus comme un chinois à cause du soleil et sa figure était rouge comme une tomate. Cette voix, cette figure, je pourrais la reconnaître entre mille. Dans l'espace de quelques secondes, passé et présent se conjuguèrent.

Je suis devenue complètement livide. Il s'agissait de mon oncle. Je me souviens de lui comme si c'était hier. Cet homme avait jadis une famille, un bon emploi et une belle maison, mais les années d'abus d'alcool et de médicaments ont eu raison de lui. Il est devenu fou à lier. Il est devenu dangereux pour lui-même et sa femme. D'ailleurs, il menaçait souvent de se tuer et de la tuer aussi.

Un jour, il l'a tellement battue que celle-ci s'est retrouvée à l'hôpital, trois jours dans le coma. Par la suite, elle est partie avec ses enfants dans une autre province. Pendant ce temps, il nous avait aussi menacés et nous avait dit que notre peau ne valait pas cher et qu'il s'en souviendrait longtemps. Il avait accusé sa belle-famille d'être la cause de l'échec de son mariage. Personne ne prenait à la légère ses menaces car tout le monde, dans la famille, savait à quel point il pouvait être rancunier. Un bon matin, il est disparu... D'ailleurs, plus personne n'avait entendu parler de lui et la rumeur voulait qu'il soit devenu un clochard. Malgré les années, la peur que cet homme m'inspirait ne m'avait jamais quittée.

La panique s'est littéralement emparée de moi. J'ai pétrifié sur place. Mon coeur battait la chamade. Mes jambes tremblaient comme des castagnettes, mais j'avais surtout une peur bleue qu'il me reconnaisse. Une chose devait m'effrayer encore plus. De son pare-brise, un objet a attiré mon regard. Ce n'est que petit à petit que j'ai réalisé que c'était le bout d'un fusil qui dépassait de son siège... J'ai cru que j'allais m'évanouir.

Heureusement que Laurie s'était enfin arrachée de son livre! Elle garda son calme. Elle lui a parlé tout doucement au début puis, d'un ton ferme et sans équivoque. Mais lui, il ne l'écoutait pas. Il avait le regard ailleurs. Il venait de remarquer mon chien. Celui-ci ressemble à un loup. C'est un mélange de Malamuth et de Siberian Husky. Inuk n'a pas jappé un seul instant. Il était en position d'attaque. Il avait le museau levé, les crocs sortis, les yeux rivés sur l'ennemi et il grognait. L'homme a pris peur et il est parti en claquant la portière. Je n'avais jamais vu mon chien comme ça avant. Ouf! c'était épeurant de le voir. Mais en même temps, c'était rassurant.

À sa sortie de l'eau, Suzanne, qui n'avait rien vu de ce qui se passait, nous a trouvé bien bizarres toutes les deux! Nous étions pâles et peu jasantes. Elle a bien deviné, à notre air ahuri, que quelque chose d'anormal s'était passé. Nous lui avons relaté l'incident. Puis nous avons décidé de plier bagage et de partir. J'étais encore en état de choc. Personne ne disait rien dans la voiture, j'étais perdu dans mes pensées.

Le soir venu, je m'étais proposée d'aller à un vernissage. Une amie y exposait ses toiles. Elle m'avait envoyé une invitation. J'hésitais à y aller, puis je me suis dit que cela me ferait du bien après les événements de l'après-midi. Quelle ne fut pas ma surprise d'y rencontrer un ami de longue date. Aveugle de naissance, il avait toujours son chien guide Bidule avec lui. Tout le monde appréciait sa présence où qu'il soit. D'un naturel chaleureux et enjoué, très sociable et charmant, il adore la gent féminine.

La soirée se passa sans anicroche. Pendant ce temps, café et petite collation nous furent servis. Soudain, je me sentis lasse et je décidai de rentrer chez moi. Avant de partir, je donnai un gros câlin à Bidule. Il sait bien que je l'aime. Tout en acceptant mes caresses, il garda un oeil bien ouvert sur son maître.

Dès mon arrivée à la maison, c'est avec plaisir que je pris un bon bain mousse aux algues marines pour me détendre. Je me couchai, mais le sommeil ne vint pas tout de suite. Je pensais de plus en plus et je me sentais davantage tourmentée. La dernière fois que j'ai regardé l'heure, il était deux heures du matin. J'étais tourmentée. Finalement, épuisée, je finis par m'endormir et me mis à rêver...

* * * * *

J'étais dans un vaste centre commercial au deuxième étage, appuyée en partie sur le bord d'une rampe. En me faisant balancer la jambe, mon soulier beige me sortit du pied et tomba dans le sous-sol.

Au premier plancher, la porte était ouverte. Je pouvais donc descendre dans le sous-sol. Ça sentait l'humidité à plein nez. Il faisait très noir et j'avais peur, mais il y avait un tout petit rayon de lumière qui passait à travers le soupirail de la cave. Tout à coup, j'aperçus mon soulier. Mais comme je me penchai pour le récupérer, en me levant la tête, j'aperçus, couchée par terre, une forme humaine inerte, recouverte d'un manteau noir. L'agresseur, pour sa part, était agenouillé et penché au-dessus de sa victime. Tout ce que je pouvais distinguer, c'était un crâne rasé avec ce qui me sembla être trois plumes au-dessus de la tête. Je remarquai un torse nu dégoulinant, sa respiration, son pantalon et un genre de bavette qui semblait pendre de son pantalon. J'avais l'impression que mon coeur s'arrêtait de battre. Puis, il se tourna un peu le visage. C'était bel et bien mon oncle quand il était plus jeune et plus svelte.

Sur la pointe des pieds, je suis sortie de la cave sans bruit pour ne pas me faire remarquer. En montant les escaliers, quelle ne fut pas ma stupeur de l'apercevoir. Il m'avait précédée. Il était caché derrière la porte et son ombre se projetait à demie sur le plancher comme une forme allongée. Une parole qu'il disait souvent me revint à l'esprit:

- La vengeance est douce au coeur de l'ennemi.

Mine de rien, je montai l'escalier, mais je sentais l'ennemi tout proche derrière moi. Quand il m'enfonça le doigt dans l'omoplate droite, aucun cri ne sortit. Je sentis mon sang se glacer dans mes veines et tous les muscles de mon dos tressaillirent comme des milliers de frissons de terreur. Je me sentis défaillir. Ma tête tournait, comme emportée dans un tourbillon.

Au moment où j'avais l'impression de tomber dans le vide, mon mari me réveilla, inquiet de mes gémissements. C'était comme si j'allais mourir. Le coeur me battait et je ne me sentais pas bien du tout. Plus tard, je suis allée marcher sur le bord de la mer pour me calmer un peu, mais rien à faire. Elle était tout aussi agitée que je l'étais. Je suis donc revenue sur mes pas, bredouille.

Le plus bizarre, c'est que pendant deux jours, j'ai senti sa présence autour de moi. Un peu plus tard, après cet incident, dans le courant de la soirée, alors que les étoiles brillaient au firmament et que la lune dans toute sa rondeur éclairait la terre, on entendit soudain une sirène stridente qui fendait l'air. C'était l'ambulance qui me transportait d'urgence à l'hôpital. Une douleur intense me traversait la poitrine. Cette douleur aiguë à la poitrine m'empêchait de respirer normalement. J'avais le bras gauche engourdi et je me sentais les doigts gros comme des boudins. Je pouvais à peine bouger.

Pourrais-je un jour vivre une vie normale sans être confrontée à tout moment à la violence? Pourrais-je un jour sortir de ce cercle vicieux de la violence? Pourrais-je un jour connaître la paix, l'harmonie, la douceur et la tendresse?

* * * * *

Isabelle et Émilie

Comme d'habitude, nous nous sommes données rendez-vous à notre restaurant préféré, chez Vitos. Regardez cette belle femme assise sur la terrasse près des jonquilles. Je ne l'ai jamais trouvée aussi sereine et radieuse. Comme elle est belle et élégante, me direz-vous. C'est Isabelle, ma meilleure amie.

Nous nous connaissons depuis des années. Au fil des ans, il s'est développé entre elle et moi une amitié et une complicité sans pareil. Étant des femmes de carrière bien occupées, rien ne nous fait plus plaisir que de nous rencontrer et mettre nos obligations respectives entre parenthèses.

Ici, c'est l'endroit par excellence où l'on nous sert les meilleurs cafés en ville. Pour Isabelle, ce sera son éternel cappuccino et pour moi, un café au lait de Paris. Nous savourons chaque moment que nous passons ensemble. Nous parlons de tout et de rien, mais je sens bien qu'Isabelle a quelque chose à me dire. Elle semble hésiter sur ses mots... Elle joue avec sa cuillère.

Assise l'une en face de l'autre, nous n'entendons plus que le chant des oiseaux. Puis, en me regardant dans les yeux, Isabelle me dit:

Émilie, tu ne peux pas savoir à quel point je suis heureuse de te voir ce matin. Cela fait si longtemps que nous nous sommes rencontrées. C'est incroyable tout ce qui m'arrive en ce moment. De découvertes en découvertes, j'apprends à mieux me connaître, à m'aimer et à m'accepter telle que je suis. Les nombreux masques que j'avais commencent à tomber.

J'ai vécu des moments très difficiles. Il a fallu pour quelque temps que je fasse le vide, que je m'isole. J'en avais tellement besoin. J'avais l'impression de tout faire comme un robot, le coeur n'y était pas. Je n'avais même plus le goût de travailler. Je me suis sentie pour un certain temps comme une morte vivante. La souffrance physique et émotionnelle était la compagne de mes journées. J'ai commencé un long voyage au coeur de mon passé. J'ai dû le démystifier et le décortiquer petit à petit. Maintenant, je commence à faire la paix avec moi-même. Je me sens renaître à une vie nouvelle, comme les bourgeons au printemps.

T'en souviens-tu comme j'étais déchirée quand je me posais la question à savoir si je désirais avoir des enfants? Je me croyais bien fine et bien maligne quand j'avais dit non à la maternité. Je pensais que mon choix était libre et sans contrainte. Pourtant, je me sentais toujours aussi tiraillée, coupable et égoïste.

J'ai commencé, un peu plus tard, à avoir une vision. Toujours la même. J'étais à l'église. Après la messe, je me préparais à sortir de mon banc et, en me retournant, je vis de l'autre côté de l'allée deux personnes assises l'une à côté de l'autre, un homme et une dame âgée. Lui, il était en retrait et à peine visible. Elle, elle avait le physique d'une bonne vieille grand-maman au coeur d'or.

Tout près d'eux, il y avait une petite fille. Elle était infirme et assise dans une chaise roulante. Elle me souriait et me tendait les bras. Je fus très étonnée de sa ressemblance avec moi lorsque j'avais le même âge.

Les visions continuaient et, un jour, je suis allée parler à la grand-mère. Elle me dit que ses parents étaient décédés dans un accident. Elle se faisait vieille et elle cherchait désespérément quelqu'un pour adopter sa petite fille. Dans mon for intérieur, je croyais vraiment qu'un jour j'adopterais une belle petite fille handicapée. Elle aurait des tâches de rousseur ici et là, un air espiègle, des yeux verts et des cheveux roux et ondulés.

Te rappelles-tu, Émilie, ce que Louise nous disait quand elle a perdu son emploi et quand sa petite chatte, Annabelle, est morte?

-   Il faut que je fasse le deuil de mes pertes.

Elle avait toujours le mot deuil à la bouche. Ce que je pouvais la trouver agaçante! Par contre, elle a tout simplement piqué ma curiosité.

J'ai commencé à lire un livre sur le sujet. Pendant ce temps, des sessions sur le deuil ont eu lieu. J'y suis allée. Au début, c'était par curiosité. Par la suite, j'ai réalisé que ce que je désirais le plus au monde, c'était de faire le deuil de mon enfance. J'ai continué ma démarche avec une personne qui avait eu à faire plusieurs deuils dans sa vie, mais rien ne me préparait au choc que je devais subir plus tard ni à ce qui allait suivre par la suite.

Les cauchemars ont commencé et les souvenirs se sont mis à surgir. J'ai recommencé à avoir des crises d'angoisse, à étouffer, à avoir mal à la poitrine et à me sentir de plus en plus mal. Que se passait-il donc? J'étais tout simplement en train de faire les deuils que je n'avais jamais assumés: mon enfance, mon divorce, etc...

Quelques semaines plus tard, après les sessions, j'ai eu une autre vision. J'ai pris conscience que cette adorable petite fille, assise dans sa chaise roulante, n'était nul autre que moi-même. C'était la petite fille à l'intérieur de moi, handicapée émotionnellement...

Elle est si délicate, si fragile. Et quel caractère! J'ai peur de sa soif insatiable d'amour, peur de ne pas arriver à satisfaire tous ses besoins. Pourtant, elle ne demande qu'à se faire aimer, bercer, cajoler, caresser et rassurer. Je suis devenue son propre parent.

Découvrir l'enfant à l'intérieur de soi n'est pas devenir sénile, bien au contraire. C'est la fontaine de jouvence, le chemin du bonheur. C'est l'innocence perdue et retrouvée. C'est l'enfant qui s'interroge sur la lune, sur les étoiles, sur la nature, sur les papillons, sur les fleurs, sur tout. C'est celui qui regarde l'oiseau voler et qui se demande pourquoi il vole. C'est celui qui est fasciné par l'immensité de la mer, qui s'amuse à faire des châteaux de sable et à ramasser des coquillages tous aussi beaux les uns que les autres. C'est aussi le plaisir de jouer à la marelle et de découvrir les formes, les couleurs, les odeurs, le bruit, l'humour et le rire.

Papa me donnait un surnom quand j'étais jeune: Pleine lune. J'étais, à cette époque, un beau bébé joufflu. Malheureusement, Pleine lune a décliné pour n'être que l'ombre d'elle-même. De gros nuages noirs m'entouraient. J'essayais de me faire toute petite pour me cacher derrière eux, d'être à peine visible. Souvent, je retenais mon souffle. En venant d'une famille dysfonctionnelle minée par l'alcoolisme, j'ai réalisé que je n'ai fait que survivre et exister durant toutes ces années.

J'avais tout plein de projets pour cette enfant. Ensemble, nous allions former une équipe du tonnerre et plus jamais il ne serait question de nous abandonner l'une et l'autre. Main dans la main, chacune aiderait l'autre à découvrir le monde dans sa vraie réalité. Maintenant, je pouvais, sans honte et sans culpabilité, tourner la page à la maternité physique.

J'avais une enfant spirituelle dont je devais m'occuper et prendre soin. J'avais ce besoin de m'intérioriser, de méditer, de lui parler, de lui dire dans mon coeur:

- Tu as de la valeur à mes yeux et je t'aime.

Sauf que, finalement, mes efforts étaient vains. Plus j'essayais de la rejoindre, plus je m'en éloignais. Je me suis sentie frustrée, stressée et découragée. J'ai finalement décidé de lâcher prise.

Rien n'est plus évident que l'évidence même. Pourtant, un fil tendu reliait impitoyablement mon présent et mon passé. Je n'arrivais pas à prendre cinq minutes pour faire le vide à l'intérieur de moi. J'étais toujours comme une queue de veau. Je me réveillais avec la radio. J'étais devenue une alcoolique du travail et, en arrivant à la maison, j'allumais la télévision ou je faisais jouer de la musique. Quand je m'assoyais, c'était pour prendre un livre ou une revue. J'avais aussi une cassette dans la tête qui se mettait en marche dès que tout était calme, dès que je pensais. Je vivais dans ma tête 24 heures sur 24. Il n'y avait que le sommeil pour m'arracher à cette torpeur. Combien de fois me suis-je dit:

- J'aimerais me décrocher la tête pour la mettre sur la table de chevet pour ne plus penser à rien.

J'ai pris des cours de relaxation. Je ne relaxais pas, je dormais quinze minutes. Une autre amie m'avait suggéré de faire une semaine de solitude. Je lui ai dit que jamais je ne ferais une semaine de solitude toute seule dans ma cabane en bois. J'avais une peur morbide de la noirceur et des orages. Non, pas question que je reste tranquille...

Dans ma mémoire est revenue l'image de mon ex-conjoint. C'était comme si je revoyais tout à coup toute la violence psychologique que j'avais vécue avec lui. N'as-tu jamais subi, ne serait-ce qu'un seul instant dans ta vie, le traitement du silence? Je ne pense pas qu'il y ait pire violence psychologique que le traitement du silence. Je trouve que c'est inhumain et cruel. J'ai encore de la difficulté aujourd'hui à m'imaginer comment un être humain peut faire subir un traitement aussi ignoble et cruel à un autre être humain.

Je m'en souviens... C'était l'heure du souper. Je suis assise en face de lui. Pourtant, il ne voit qu'une chaise vide en face de lui. Il est capable de se subjuguer assez pour faire abstraction qu'un humain soit à côté de lui. C'était le vide total.

Je savais en me réveillant le matin, juste en le regardant, si le traitement du silence continuerait encore. Je le voyais par ses gestes, par son attitude et surtout par sa façon de marcher. J'avais l'impression qu'il marchait pour fuir. Il sortait et rentrait de la maison sans dire un mot. Cela pouvait durer des jours. Moi, j'essayais tant bien que mal d'agir comme si tout était «normal». Je lui disais bonjour. Je continuais à préparer les repas, mais je voulais surtout que la torture cesse.

Quand elle s'arrêtait, j'en avais pour plusieurs jours à pleurer, à continuer d'être tout croche. J'en ai-tu braillé un coup! Un jour, les larmes ont cessé. J'avais un poids à l'estomac qui me pesait, une boule dans la gorge. J'aurais voulu pleurer, mais j'en étais incapable. Je me suis mise à hurler de toutes mes forces. Mon cri déchirait toute la maison. J'avais mal. Les tripes me faisaient mal. Je me sentais comme si un couteau me transperçait le coeur.

Ce silence lourd, pesant, inquiétant, angoissant, me rendait folle. Je me sentais jugée, critiquée, blâmée, comme si tout était de ma faute. Je prenais toute la responsabilité de notre couple sur mes épaules. Je me sentais comme si je n'étais rien. Que je ne valais pas plus qu'un ver de terre. Je pense que le ver de terre était plus important pour sa pêche que moi. À chaque fois, je me sentais complètement anéantie et malade. Je souffrais de crise d'anxiété, de dépression, d'idées suicidaires, de problèmes d'estomac. Je me sentais complètement anéantie et tu connais la suite. Après des années de mauvais traitement, je l'ai quitté.

Encore aujourd'hui, les mots me manquent pour te décrire la souffrance et la douleur que je vivais. J'avais tellement mal à la poitrine. Je pensais que j'étais au bord de la crise cardiaque. Je n'en pouvais plus. Juste à t'en parler, je me sens encore étouffer. Au bout de trois jours, je craquais littéralement.

À la suite d'une conférence sur l'alcool et les drogues où il était question, entre autres, des différents traumatismes qu'un enfant peut subir, j'ai compris pourquoi j'avais si peur de la noirceur. C'était épeurant et terrifiant pour la petite fille que j'étais d'entendre mes parents se disputer la nuit dans la chambre à côté de la mienne. Surtout quand papa entrait ivre à la maison! J'essayais de me rendre invisible. Après, lorsque mes parents avaient fini de se chicaner, il régnait dans la maison un silence de mort.

Ce silence était lourd, pesant et rempli de menaces. J'étais terrifiée et j'avais toujours peur que ma maman soit morte. Je me revois tenant, dans mes petites mains, mon oreiller très fort en y refoulant mes larmes. J'avais bien trop peur que papa m'entende et qu'il sache que je ne dormais pas.

Depuis que je suis en thérapie, j'ai découvert qu'il y a le bon et le mauvais silence. Le traitement du silence, c'était effectivement de la violence psychologique qui me dardait toujours dans une blessure très profonde qui ne s'était jamais cicatrisée. Ce n'était pas de la noirceur ou de la nuit dont j'avais peur, mais bien du silence de la nuit.

C'est la raison pour laquelle je ne pouvais rejoindre l'enfant à l'intérieur de moi ni me laisser aller au silence. C'était trop épouvantable et terrifiant! Toute ma vie, j'avais été confrontée au mauvais silence. Il était jusqu'à ce jour synonyme de peur, d'angoisse, d'abus et de violence.

Je ne savais pas qu'il y avait le bon silence. Sur le long chemin de la douleur et de la souffrance, j'ai rencontré une personne extraordinaire pour me guider. Elle a su m'accueillir sans me juger ni me critiquer. Elle est silence et paix. Elle est murmure et brise au fond de mon être. Je me sens aimée et en sécurité.

J'ai pu, lors d'un exercice de relaxation, me faire guider, faire le vide et me laisser aller au silence. Les larmes ont commencé à jaillir et à rouler sur mes joues. Je me sentais libérée de ce poids trop lourd que j'avais porté pendant longtemps. Je sentais comme si ce fil qui m'avait retenue si longtemps au passé était en train de s'effilocher et de se casser à tout jamais. Je me sentais enfin libre pour la première fois de ma vie. Je me sentais comme si mes poumons éclataient et se mettaient à respirer au plus profond de mon être, pour rejeter et nettoyer cet air vicié afin de le remplacer par du neuf, du frais, du pur.

Maintenant, petit à petit, j'apprends à apprivoiser le silence comme le Petit Prince de Saint-Exupéry l'a fait avec sa rose. Le temps passe. C'est agréable. Le soleil nous réchauffe de plus en plus. Il est l'heure de nous quitter. Et juste au moment de partir, Isabelle se retourne vers moi et me dit:

Je me suis fait un merveilleux cadeau. Je viens de passer deux jours, seule, dans une cabane en bois rond, pour m'imprégner de la beauté du firmament et du silence de la nuit.

* * * * *

Jeanita LeBlanc-Gauvin
(Tremblay)

Retrouvailles à l'horizon

Le ciel était clair et le soleil commençait à réchauffer le sol. J'étais toujours couché au bord de la falaise. Après avoir pleuré toutes les larmes de mon corps, je m'étais assoupi. La peine et le manque de sommeil, après cette brûlante nuit d'amour, m'avaient épuisé. Quand je me réveillai, j'étais recroquevillé et j'avais la tête posée sur mon baluchon. Tout mon corps me faisait mal, mais j'avais surtout mal dans mon coeur. Il était dix heures du matin. Tout me revenait... si cruel, j'avais surtout le goût de m'apitoyer sur mon sort. Quel supplice de retrouver enfin ma douce Mélanie et de la perdre encore une fois! Oui, mon corps encore imprégné des caresses de la nuit était douleureux. Oh que j'avais mal!

Je m'agenouillai, le regard et les mains tendus vers le ciel, et je me mis à implorer le Seigneur. Ce fut une vraie prière. Qu'avais-je fait pour mériter pareil supplice? Que devais-je faire maintenant qu'elle était partie? Ma famille me pourchassait. Je n'avais plus d'argent et j'avais perdu ma seule raison de vivre. Comme si on voulait me répondre, le soleil se mit à briller et une volée d'oiseaux migrateurs passa à proximité de moi. Tout à coup, je me sentis plus calme. C'était comme si on me disait: «Regarde autour de toi Rodrigue, il y a encore de l'espoir». Je me levai tout d'un coup et décidai que j'allais survivre. J'avais enduré tellement d'épreuves durant mes 19 années de vie et je n'étais pas prêt à tout abandonner. Après tout, Mélanie avait peut-être raison; elle n'était pas une fille pour moi. Je pris donc mon baluchon et partis en direction du quai de Lamèque.

C'était une belle journée d'octobre et je ne pouvais pas rester insensible au paysage qui s'offrait à moi. Le bleu de la mer m'invitait au calme. Je remarquai soudain un homme assis au bord du quai qui semblait scruter l'horizon, le regard un peu triste. Je m'approchai de lui et il sursauta. Je lui demandai s'il connaissait un endroit où je pourrais passer la nuit. Il sembla surpris et, avant de répondre, il m'examina de la tête aux pieds. C'était comme si je lui rappelais quelqu'un.

Il me proposa de m'asseoir à côté de lui. Il me dit qu'il se nommait Marjorique et qu'il avait perdu son fils unique qui s'était noyé alors qu'ils étaient au large en train de pêcher. Depuis ce cruel événement il y avait de cela une année, il venait régulièrement au quai et scrutait le large. C'est ainsi qu'il se sentait en communication avec son fils. Me sentant aussi en confiance, je lui racontai ma triste histoire. Il semblait songeur, puis il me dit tout bonnement:

-   Pourquoi ne viendrais-tu pas coucher chez moi ce soir?

Nous quittâmes donc le quai. Arrivés à proximité d'une petite maison d'un étage et demi, il me dit:

-   Tu vois là-bas la petite maison, c'est chez moi. Ce n'est pas un château, mais j'aime bien ce coin de village. Ça fait soixante ans que cette maison a été bâtie par mon père.

Sur l'entrefait, la porte s'ouvrit pour laisser apparaître Julienne, une petite femme d'âge mûr. Elle semblait surprise de voir arriver son mari avec un étranger. Il me la présenta et lui expliqua que j'allais passer la nuit chez eux. Elle m'accueillit avec un grand sourire. Comme elle avait dû être belle! Elle nous invita à entrer et nous prépara un bon ragoût de boeuf. Je fus surpris de constater que je n'avais pas mangé depuis la veille.

Malgré mes peines, je mangeai avec appétit. Après le repas, Marjorique et moi sortîmes nous asseoir sur le perron. Il me suggéra de demeurer chez lui, ce qui me permettrait de trouver du travail. En échange, je devrais m'occuper des menus travaux de la maison et de la ferme. Je ne savais comment le remercier! J'avais aussi le goût de remercier le destin pour ce heureux hasard. Je me disais que malgré tout, la vie valait peut-être la peine d'être vécue.

* * * * *

Nous étions rendus au mois de novembre 1933. Je demeurais chez Marjorique et Julienne depuis un mois. La belle température d'octobre était oubliée depuis longtemps et le froid faisait maintenant partie de notre vie. Les journées passaient et je m'occupais de rentrer le bois, de traire les deux vaches, de ramasser les oeufs, de nourrir les animaux et d'exécuter quelques autres menus travaux avant l'hiver. N'eut été de cette peine au coeur, j'aurais pu me considérer comme heureux.

- Ah, ma douce Mélanie! Mes nuits sont encore hantées par ton souvenir... Le goût de tes lèvres, de ton corps serré contre le mien, de tes caresses... Toi qui était si belle, qui semblait si sincère, comment as-tu pu me quitter?

J'étais perdu dans mes pensées et ne remarquai pas Marjorique qui revenait de sa tournée au quai. Me trouvant songeur, il s'asseya à côté de moi et me parla tranquillement.

- Mon cher jeune homme, je sais que ton coeur a mal. Mais petit à petit, ta peine deviendra moins lourde et tu te trouveras une bonne épouse aimante qui saura te faire oublier ce triste épisode de ta vie. Tu en sortiras plus homme.

C'était la première fois qu'on me parlait avec une telle douceur, comme un père à un fils. J'avais une boule dans la gorge. Il mit sa grande main sur mon épaule. J'eus comme le sentiment qu'il souffrait lui aussi et qu'il voyait en moi son fils noyé. Nous nous consolions mutuellement. Nous n'avions pas besoin de mots. J'eus une pensée pour mon père de qui j'aurais tant voulu être aimé. Pourtant, il m'avait toujours renié. Que la vie était drôle! Oui, la vie m'avait envoyé ce vieillard qui, un mois passé à peine, était toujours un parfait inconnu pour moi. J'avais pris ma décision. Je ne retournerais jamais plus dans ma famille. Je voulais tout simplement effacer cette période noire de ma vie.

C'était une journée très froide; nous étions le 7 décembre. Il y avait de gros vents et on disait que les chemins étaient bouchés sur les plaines. Je m'ennuyais. Je m'aventurai donc dans le centre de Lamèque. La maison de Marjorique étant située non loin du quai, je n'avais pas à traverser les plaines. Mes pas s'arrêtèrent alors devant une cabane en cèdre. Ma raison me disait de ne pas y aller, mais mon coeur voulait savoir ce que Mélanie était devenue. J'hésitai à cogner, mais c'était plus fort que moi. Je devais savoir.

Un homme d'environ trente ans vint m'ouvrir et me demanda, avec un accent anglais, s'il pouvait m'aider. C'était John, le beau-frère de Mélanie. Avant que j'aie pu parler, Juliette, sa femme, apparut. Elle ressemblait beaucoup à sa soeur. En essayant de donner une impression neutre, je leur demandai des nouvelles de Mélanie. Ils me dirent qu'elle était partie vivre à Québec et qu'elle devait se marier le 20 décembre avec son professeur. Quel effort je dus faire pour cacher mon désarroi! Ils devaient bien se douter de quelque chose, me voyant ainsi braver le froid pour venir aux nouvelles de celle que j'aimais.

Après les avoir remerciés, je quittai les lieux qui me rappelaient encore cette seule nuit d'amour. Le froid me ramena vite à la réalité. Les jeux étaient faits. Je devais l'oublier. Avec l'espoir de me réchauffer un peu, je passai donc au magasin du coin. J'y allais rarement. Un groupe d'hommes se retrouvait le soir pour jaser. Dès mon entrée, ils arrêtèrent de parler et m'examinèrent. Pour cacher mon trouble, je décidai d'acheter un paquet de cigarettes Du Maurier, moi qui n'avais jamais fumé. Comme j'allais sortir, le plus grand des hommes, un dénommé Euzèbe, me dit bonjour et me demanda si j'étais nouveau dans le coin. Je lui dis où je demeurais et que je cherchais du travail. Le plus jeune homme du groupe, un dénommé Émile, me dit qu'au printemps après la fonte des neiges, il devait aller voir un oncle qui habitait en Nouvelle-Écosse. Il m'invita donc à le suivre. Je le remerciai et me dit, encore une fois, que c'était un heureux hasard.

Pendant les longs mois d'hiver, Émile et moi préparâmes notre voyage. Je rencontrai sa famille. Contrairement à moi qui n'avais jamais eu de soeur, Émile en avait trois. Il y avait

Flora, treize ans; Émilia, neuf ans, et Yvette, six ans. Mes visites devinrent une habitude. L'hiver me parut moins long en leur compagnie. Je fêtai le 25 décembre avec Marjorique et Julienne et le jour de l'an avec la famille d'Émile. Flora me regardait toujours avec ses beaux grands yeux bleus. Elle était encore petite pour son âge. Émilia et Yvette aimaient bien lorsque je leur racontais des histoires et les parents d'Émile m'avaient adopté comme un des leurs. J'avais même réussi à passer le 20 décembre, jour du mariage de Mélanie, plus facilement que je l'aurais pensé.

* * * * *

Il était neuf heures trente du matin et le soleil pointait à l'horizon. En marchant vers le quai, mon baluchon sur l'épaule, je pouvais observer les tulipes toutes fleuries qui ornaient le devant des maisons. Je trouvais que Lamèque était un beau village et que les gens avaient été bien accueillants à mon égard. Il faisait maintenant plus chaud. Nous étions le 26 mai 1934 et j'avais vingt ans. Seule la tristesse dans les yeux de Marjorique et de Julienne m'empêchait d'être complètement heureux. Eh bien oui, je quittais Lamèque! Je me sentais euphorique à l'idée d'aller vers l'inconnu. Émile m'attendait au quai de Lamèque où les pêcheurs s'activaient. Il y avait beaucoup à faire avant de retourner pêcher. Par pure coïncidence, Marjorique avait décidé qu'il ne se rendrait pas au quai ce matin-là pour faire sa tournée quotidienne.

Je me sentais délivré de quitter Lamèque, qui me rappelait trop mon amour perdu. Nous embarquâmes sur le «Miss Isabelle» qui se rendait apporter un chargement de bois en

Nouvelle-Écosse. L'équipage comprenait le capitaine, un dénommé Chiasson, une connaissance des parents d'Émile, et ses quatre aides. Je ne savais pas ce qui m'attendait là-bas. La traversée fut belle et la mer plutôt calme. Même s'il faisait froid, je me rendis sur le pont et regardai l'île de Lamèque jusqu'à ce qu'elle disparaisse sous mes yeux. Je me sentais délivré d'un poids.

Émile, à qui j'avais raconté mon histoire, semblait comprendre mon état d'âme. Je me sentais craintif à l'idée d'entreprendre une nouvelle aventure, mais arrivé en Nouvelle-Écosse, Émile semblait savoir où aller. Il avait un oncle qui demeurait à Halifax et c'est là que l'on s'est fait conduire. L'oncle et la tante d'Émile étaient heureux de voir des gens du Nouveau-Brunswick et ils nous accueillirent à bras ouverts. Après une bonne nuit de sommeil et un bon déjeuner, nous nous mîmes à la recherche d'un emploi.

Ce n'est qu'après dix jours de recherche que je trouvai un emploi au Canadien National comme agent de bord. C'est un emploi qui me plut immédiatement. Je m'étais vite familiarisé avec les règlements. Mais surtout, ça me permettait de voyager entre Halifax et Toronto. Cet emploi était pour moi un échappatoire. De cette façon, je pensais un peu moins à Mélanie. Émile, qui avait aussi trouvé un emploi au CN comme réparateur de chemin de fer, aimait bien sortir dans ses temps libres. Nous visitions les tavernes et les clubs et il y avait des filles assez

* * * * *

Une soirée que j'étais en congé avec Émile, je me rendis dans un bar. Nous étions en train de boire un verre quand je vis entrer un homme qui me semblait familier. Il me regarda à son tour. Le reconnaissant, je me levai et le serrai dans mes bras. C'était mon frère Alex qui était tout aussi ému que moi. Je le présentai à Émile. Tous les souvenirs de Daigleville me revinrent. Alex m'expliqua la raison de son séjour à Halifax. Notre père était très malade et on le soignait à l'hôpital d'Halifax. Malgré ma haine pour ce père qui m'avait toujours humilié, mon coeur se serra à l'idée de le perdre. Il me dit que mon père m'avait demandé à plusieurs reprises. Nous nous donnâmes donc rendez-vous à l'hôpital pour le lendemain.

Je dormis mal cette nuit-là. Je tombais de rêve en cauchemar. Malgré cela, je me rendis quand même au chevet de mon père. L'hôpital me semblait un endroit austère. J'avais le goût de déguerpir. Alex me prit par le bras et me conduit à la chambre 35 A. Quelle surprise de revoir cet homme ravagé par la maladie qui gisait sur un lit blanc, le regard dans le vide! Je m'approchai lentement avec hésitation et son regard se tourna vers moi. Une lueur de joie se manifesta sur son visage ridé. Il allongea la main et serra la mienne en disant:

-    Rodrigue, j'ai si longtemps attendu ce moment. Je voulais te demander pardon pour t'avoir fait tant de mal. Je sais maintenant que ton amour pour cette fille était sincère. J'ai été méchant envers toi, mon fils. Pardonne-moi. Sur ces mots, il s'éteignit.

Pour une deuxième fois, je faisais face à la mort. Après Basile, c'était le tour de mon père. Des sentiments de vide et d'impuissance m'habitaient dans ces moments de perte. Mais je n'étais pas au bout de mes peines. En quittant ce sinistre lieu, je réalisai que j'avais été proche de mon père pour la première fois de ma vie. Je pleurai à chaudes larmes. Il m'avait enfin rendu la paix face à lui et à ma famille. Alex n'avait pas cessé de m'épauler. J'avais enfin retrouvé ce frère qui, en 1933, m'avait aidé à me libérer de ce milieu familial insupportable. Je décidai donc de retourner à Daigleville avec Alex pour ramener le corps et pour assister aux funérailles. J'avais surtout hâte de revoir ma mère!

Depuis le départ de la maison familiale, cinq ans s'étaient écoulés. Aujourd'hui, nous étions le 16 juin et j'avais 24 ans. À la pensée de revoir la cabane où j'avais vécu une partie de mon enfance, j'étais inquiet. Je voyageai en train jusqu'à Bathurst, puis en auto jusqu'à Daigleville. Je ne pouvais m'empêcher de penser à ce fameux voyage de Shippagan à Daigleville enfermé dans un baril.

La maison était restée telle que dans mes souvenirs. À part les nouvelles fenêtres et les nouveaux planchers, à l'intérieur, tout était resté pareil. Je fus très ému de revoir ma mère, que la perte de son compagnon pendant quarante ans avait vieillie. Elle me serra dans ses bras et nous pleurâmes la mort de mon père et notre longue séparation. Je restai donc quelques jours avec elle. Elle était si contente de m'avoir retrouvé. Je lui promis de revenir la voir régulièrement, puis je la quittai non sans regret.

Comme Émile était venu aux obsèques, il m'invita à passer quelques jours à Lamèque avec lui. Je m'étonnai de revoir ses soeurs qui avaient tellement grandi. Je les regardai les unes après les autres. Quand mon regard s'arrêta sur

Flora, je fus surpris de voir cette belle fille, grande et svelte, de dix-huit ans. Elle me souriait et me regardait avec ses beaux grands yeux bleus, tout comme elle le faisait il y avait de cela cinq ans. Le lendemain, j'en profitai pour rendre visite à Marjorique. Avant d'aller à sa maison, je décidai de passer au quai. Eh bien oui, il était là! Le regard fixant l'horizon, il semblait attendre quelqu'un. Se retournant en entendant le bruit de mes pas, il m'aperçut et ses yeux s'agrandirent.

- Je savais que tu reviendrais.

Il me donna une bonne poignée de mains. Quelle chaleur humaine se dégageait de cet homme! J'en profitai pour lui raconter le décès de mon père et ma vie à Halifax. Je passai donc la journée avec lui et Julienne. Encore une fois, j'eus l'honneur de manger un bon repas, un pâté aux coques, la spécialité de l'île Lamèque.

De retour chez les parents d'Émile, j'aperçus Flora qui était en train de planter des graines de fleurs. À ma vue, elle sembla toute surprise. Comme elle était belle! Pendant une semaine, tous les soirs, je pris l'habitude de me promener avec elle. On jasait de tout et de rien. C'était drôle, mais j'étais content de savoir qu'elle n'était pas amoureuse. Malgré tout, je n'avais pas réussi à oublier complètement Mélanie.

J'avais eu l'occasion de sortir avec de belles filles. J'avais même eu des aventures qui avaient duré plusieurs mois, mais aucune d'elles n'avait remplacé Mélanie. Maintenant plus que jamais, je songeais que j'aurais bien aimé avoir une famille, une femme aimante avec qui partager mes peines et mes joies. Après plusieurs jours chez ma mère à Daigleville, je pris le train pour Halifax.

* * * * *

J'étais en paix avec moi-même. Il faisait beau. Je reprenais mon travail à cinq heures du matin. Je devais ramasser les billets. Nous étions à la station de Lévis. Je passai tous les wagons et poinçonnai les billets. Arrivé au troisième wagon, une dame me présenta son billet et, à sa vue, je faillis m'évanouir. J'avais devant moi la personne qui, depuis 1933, avait bouleversé ma vie. Elle devint pâle et me dit:

- Bonjour Rodrigue.

Un garçon d'environ treize ans, ressemblant comme deux gouttes d'eau à mon frère Basile, et une fillette d'environ six ans l'accompagnaient. Cette mignonne fillette, voyant que je ne semblais pas vouloir bouger, demanda à sa mère:

- C'est qui ce monsieur maman? Le connais-tu?

- Oui Monique, je connais ce monsieur. Je l'ai connu par chez nous à Lamèque.

Que de souvenirs remontèrent à la surface! Elle était aussi belle, mais son regard semblait triste. Avec regret, je dus la quitter car le travail m'attendait.

La journée fut longue. Je ne pus résister à la tentation de retourner à son wagon afin de savoir ce qu'elle était devenue durant toutes ces années. Elle s'était bel et bien mariée le vingt décembre 1933 et elle avait eu une fille. Elle n'avait pas pu avoir d'autres enfants. Son mari était professeur. Comme il était en voyage avec des étudiants, elle avait décidé de retourner voir sa soeur à Lamèque. Je lui dis que je n'étais toujours pas marié, mais que j'avais rencontré quelqu'un. J'avais le goût de me venger un peu. Je la quittai en lui disant que j'avais été heureux de la revoir. En réfléchissant, je pensais que la vie jouait parfois de vilains tours. Je l'avais enfin revue. C'était un mal pour un bien. Et le hasard faisait bien les choses. Il fallait que je l'oublie une fois pour toutes!

* * * * *

C'était une journée bien différente des autres. J'étais là, debout au pied de l'autel. Les cloches de l'église de Lamèque sonnaient de plus bel. L'église était remplie à moitié. Vêtu de mon nouvel habit acheté chez Eaton, pour l'occasion, je me sentais un peu à l'étroit. J'étais heureux et agité à la fois. Devais-je accepter cette chance que m'offrait le destin d'avoir enfin quelqu'un à aimer?

À l'orgue, la musicienne entreprenait la marche nuptiale, ce qui eut l'effet de me ramener à la réalité. Eh bien oui, je me mariais! Nous étions le 16 juillet 1940. J'avais vingt-sept ans et j'unissais ma destinée à une belle jeune fille de vingt ans. Flora avait accepté de m'épouser. La voyant marcher dans l'allée centrale au bras de son père, j'étais ému comme un enfant de choeur. Sa robe blanche ornée de dentelle lui donnait davantage un air de jeunesse et de pureté. Comme elle était belle!

Nos regards se croisèrent et mon coeur déborda de joie. Je n'avais plus de doutes. Je voulais partager ma vie avec elle. Je me sentais comme un tout jeune premier. Je l'aimais tendrement. Ce n'était pas la passion que j'avais partagée avec Mélanie, mais c'était aussi profond. Quand elle arriva près de moi, je pus lire tout l'amour qu'elle avait pour moi. Elle m'avait avoué qu'elle m'aimait depuis l'âge de treize ans, soit la première fois qu'elle m'avait vu. Je me dis que j'étais chanceux.

Dans l'église, mes parents et mes amis semblaient heureux. Émile était mon témoin. Maman, Alex et sa fiancée étaient assis dans le premier banc. Marjorique et Julienne étaient dans le deuxième banc. Marjorique m'a soudain regardé et m'a fait un signe de tête. Je savais qu'il voulait me dire:

- Je te l'avais bien dit qu'un jour tu rencontrerais quelqu'un de bien.

Nous fîmes un voyage de noces d'une semaine à Montréal. Flora était bien fière de coucher à l'hôtel Reine Élizabeth. Nous en profitâmes pour visiter le vieux Montréal. Malgré ce beau voyage, nous fûmes bien contents de retrouver notre appartement à Halifax. Flora s'était trouvé un poste d'enseignante. J'étais comblé! Elle s'avéra une compagne agréable et intelligente. Nous étions heureux de nous retrouver le soir dans le joli appartement qu'elle avait soigneusement décoré. À ma grande surprise, elle s'était révélée une douce amante et elle aimait bien recevoir des caresses ou en donner à son tour. Notre bonheur était donc sans nuages.

En 1942, mariés depuis deux ans déjà, je me rendis compte que Flora n'était pas tout à fait heureuse. Une soirée, je lui demandai la cause de son chagrin et elle se mit à pleurer. En m'avoua qu'elle avait peur de ne jamais avoir d'enfants. Le fait de partager sa peine sembla la délivrer et elle cessa d'en parler. J'étais inquiet, car moi aussi je désirais ardemment avoir un enfant. Toutefois, j'aimais quand même ma vie avec elle. Je me répétais souvent que j'avais été chanceux de l'avoir rencontrée.

* * * * *

Une fois par année, Flora et moi retournions à Daigleville et à Lamèque pour visiter nos parents et amis. C'était comme un ressourcement de revoir la campagne. On oubliait ainsi le travail! Maman vieillissait, mais elle tenait toujours à nous recevoir en grand. Elle qui aimait cuisiner, elle ne manquait pas de nous mijoter des mets du coin. J'appréciais surtout ses pâtés à la viande. Ces moments étaient précieux car nous nous sentions vraiment aimés. Et chaque fois, nous retournions à Halifax avec quelques pâtés.

Cette fois, notre voyage avait un but spécial. Oui, c'était le mariage d'Alex à Caraquet. Lui et sa jeune épouse avaient décidé d'habiter avec maman à Daigleville. J'étais rassuré, car maman avait soixante-dix ans et je n'aimais pas la savoir seule. Elle s'était remis difficilement du décès de mon père.

Pendant que Flora passait un peu de temps chez ses parents à Lamèque, j'en profitai pour retourner au quai. Ce matin-là, mon cher ami n'y était pas. Je me rendis donc à la petite maison et Juliette, toute en larmes, me dit que Marjorique était très malade. Je me rendis aussitôt à son chevet à l'hôpital de Lamèque. Quand il me reconnut, son visage s'éclaira. Il me confia que, dans ses prières, il avait demandé à me revoir encore une fois avant de mourir. Je m'avançai près de lui et le pris dans mes bras comme un fils l'aurait fait pour son père. Il me dit qu'après la mort de son fils, ma venue lui avait redonné un peu de lumière. Je lui avouai moi aussi qu'il avait été plus qu'un père pour moi. Voyant que l'effort l'avait un peu épuisé, je quittai l'hôpital.

Cet après-midi-là, pour chasser ma peine, j'errai dans le village de Lamèque. J'avais de la difficulté à m'imaginer que je ne reverrais plus ce visage bon et chaleureux. Quel homme sage! Encore une fois, je me retrouvai au quai pour m'y recueillir. Tout était calme en ce mois d'août 1944. Je me laissai aller à mon chagrin. Les larmes refoulées se mirent à couler. Je me demandai alors si je ne pleurais pas un peu pour moi-même aussi. J'étais pourtant heureux avec ma douce compagne, mais nous n'avions pas encore d'enfants! Mon cher ami Marjorique mourut le lendemain et je pus assister aux funérailles.

Nous retournâmes à Halifax peu de temps après. J'avais même fait l'acquisition d'une voiture et j'en étais fier. J'aimais voyager en train, mais le train, c'était mon travail. J'avais besoin de changement. Flora reprit son travail d'institutrice. Elle aimait le mois de septembre car elle revoyait les enfants. Elle enseignait une classe de la première à la troisième année. Je repris mon travail au CN comme agent de bord.

Un jeudi matin, alors que tout annonçait une journée ordinaire, je repris mon travail. Il était neuf heures du matin à

Halifax. Les employés du CN n'étaient pas tous arrivés, car ils avaient différents horaires. J'étais assis au bureau et je buvais tranquillement mon café en attendant l'arrivée du train. J'étais intrigué et inquiet à la fois. Un messager m'informa qu'un homme me demandait au guichet. Depuis que je travaillais au CN, personne, à part Flora, n'avait jamais demandé à me voir. Je me levai immédiatement et allai rencontrer l'inconnu. Un homme d'environ quarante ans attendait patiemment quelqu'un. Je me présentai. Il me serra la main en me disant qu'il se nommait Pierre Vaillancourt.

- Je sais que mon nom ne vous dit pas grand-chose, me dit-il.

Je fus tellement surpris! Ce nom, je l'avais souvent vu dans l'annuaire téléphonique à l'époque où je n'étais pas marié. J'avais maintes et maintes fois failli téléphoner à Mélanie lorsque mon travail m'amenait à Québec. Il continua de sa voix calme:

- Vous avez connu mon épouse, Mélanie, il y a de cela plusieurs années. J'ai le regret de vous annoncer son décès. Elle est décédée il y a trois mois, soit le 30 juin 1947, d'un cancer de l'utérus. Avant de mourir, elle m'a demandé de vous remettre cette lettre.

Quel choc! Si j'avais eu une chaise à proximité, je me serais assis tant j'avais les jambes molles. Encore une fois, une foule de souvenirs surgissaient. Revenu de mes émotions, je remarquai qu'il me tendait toujours la lettre. Je la pris et la plaçai dans la poche de mon veston d'agent de bord. Il me demanda alors si nous pouvions aller nous asseoir à un endroit discret. Je le conduisis à l'auto. Il me fit part de sa peine. Elle lui manquait terriblement. Il me dit aussi que Mélanie avait été une bonne épouse. Elle était tendre et elle l'avait vraiment aimé. Pourtant, une partie de son coeur ne lui avait jamais appartenu. Il me dit aussi qu'avant leur mariage, elle lui avait tout avoué: notre rencontre, notre nuit d'amour...

-    Deux semaines après votre dernière rencontre, elle s'est aperçue qu'elle était enceinte. Cette enfant est aussi la vôtre. C'est une fille. Elle se nomme Monique et elle a maintenant quatorze ans. C'est une charmante jeune fille et elle croit que je suis son père biologique. J'ai peur de la perturber. À la demande de sa mère, je lui dirai la vérité à l'âge de dix-huit ans.

C'en était trop! Je me mis à pleurer de joie, de peine. Quelle affreuse et merveilleuse nouvelle à la fois! Je venais de perdre un être cher, mais tout ce temps, j'avais une enfant qui vivait et grandissait sans que je le sache. Tout à coup, je sentis un bras chaleureux sur mon épaule. Pierre me dit d'une voix apaisante qu'il comprenait pourquoi elle m'avait tant aimé. Il me dit aussi qu'elle ne m'avait jamais oublié.

-    Comment le pouvait-elle? Lorsqu'elle regardait sa fille, elle voyait vos traits de caractère et votre ressemblance.

Ça me fit du bien de savoir qu'elle ne m'avait pas triché. Je le remerciai. Il me quitta et me dit merci. Je lui promis alors de ne pas essayer de rejoindre Monique avant ses dix-huit ans.

* * * * *

Cette journée s'avéra pénible. Je faisais le trajet Halifax-Québec et je devais retourner le lendemain à Halifax. J'avais hâte de retourner chez moi. Avant d'arriver chez moi, il y avait un petit quai entre la gare et l'appartement. Marjorique m'avait transmis son habitude, je dirais même un cadeau. Quand j'avais besoin d'un endroit où me réfugier, j'aimais bien me retrouver au bord du quai. J'y retrouvais toujours une certaine sérénité. C'est là que je me réfugiai pour lire la lettre de Mélanie. J'appréhendais tant ce moment.

Mai 1947

Mon cher Rodrigue,
mon cher amour,

Il ne me reste que quelques jours à vivre. Enfin, je peux t'avouer la vérité. Je me suis souvenue longtemps de cette belle nuit d'amour. De notre amour est née une fille et elle te ressemble. Tu étais si tendre. J'aurais tant voulu te garder pour moi. Je t'aimais et je t'ai toujours aimé. Avec notre différence d'âge et tes parents qui t'empêchaient de me voir, c'était très pénible de vivre.

Il y avait aussi cette histoire entre ton frère Basile et moi. Toutes ces pressions sociales me faisaient peur. Aussi, n'ayant plus de tes nouvelles depuis un an, j'ai rencontré Pierre Vaillancourt. C'est un homme bon et merveilleux. Je lui promis donc de l'épouser.

Je me suis souvent reprochée de t'avoir laissé tomber si froidement. Te réveiller le matin sans me trouver à tes côtés a dû te laisser un souvenir bien amer. Je sais que cela a dû être affreux. J'ai souvent pleuré ma maladresse!

Il y a huit ans, lorsque je t'ai revu dans le train, j'ai failli tout t'avouer quand Monique a demandé qui tu étais. J'avais tellement le goût de lui dire que tu étais son père. J'ai été heureuse d'apprendre que tu avais enfin rencontré une bonne fille et que tu allais te marier. Tu méritais d'être heureux. On m'a dit que Flora est une bonne épouse et que tu l'aimes aussi.

J'espère que cette lettre te libérera de tes nombreuses questions. Puisses-tu être en paix avec toi-même. Tu m'as donné les deux plus beaux cadeaux du monde... notre fille et ton amour.

Tendrement, Mélanie

Étrangement, cette lettre ne m'avait pas fait pleurer. J'étais même heureux à travers ces quelques lignes. Je sentais comme une impression de calme. Elle me rendait vraiment ma liberté. Je savais maintenant qu'elle m'avait aimé sincèrement. Elle ne s'était pas joué de moi. J'avais le goût de crier «Mélanie», mais pas ce cri de terreur que j'avais lancé au bord de la falaise en 1933. C'était plutôt un cri de tendresse.

- Merci ma bien-aimée!

Arrivé à la maison, j'embrassai tendrement Flora et lui demandai de s'asseoir car j'avais à lui parler. Nous avions toujours été très unis et elle n'ignorait pas que j'avais aimé quelqu'un d'autres avant elle. Je savais qu'il valait mieux tout lui révéler. Je lui pris les mains et lui racontai ma rencontre avec Pierre Vaillancourt, le décès de Mélanie et la lettre qu'elle m'avait envoyée par son mari. Flora m'enlaça et m'embrassa tendrement. Elle me dit:

- Mon cher amour, comme tu as dû souffrir!

- Cette femme-là, c'était quelqu'un.

- Je comprends pourquoi tu l'as tant aimée.

- Cette soirée-là, nous avons fait l'amour avec plus d'ardeur. Nous avions besoin de communiquer notre tendresse.

* * * * *

En ce mois de décembre, je me réveillai soudain et ne trouvai pas Flora à mes côtés. Je fus inquiet. Je me levai et la trouvai déjà en train de préparer le déjeuner. Étant donné l'heure matinale, je trouvai cela bizarre. Elle me dit qu'elle avait le goût de se lever de bonne heure et de faire des courses. Elle avait pris un congé de maladie. C'était d'autant plus étrange car ça n'était jamais arrivé. Le soir, après mon travail, quand je retournai à l'appartement, elle n'était pas encore arrivée. Je l'attendis donc avec impatience. Quand je l'entendis entrer, j'étais content. J'étais certain qu'elle avait remarqué mon inquiétude. Comme j'avais déjà préparé le souper, nous nous installâmes pour manger.

Elle me regarda et me dit:

- Attends un instant.

Je la vis fouiller dans son sac de provisions et revenir avec une chandelle, deux coupes et une bouteille de vin. Je trouvai l'idée bien intéressante et je me prêtai donc à son jeu. Je sentais qu'elle avait quelque chose à me dire.

Au milieu du repas, elle m'annonça tout bonnement qu'elle était enceinte de trois mois et demi. Du coup, je me levai et la serrai dans mes bras. Je l'embrassai et la serrai en pleurant et en riant. Nous étions euphoriques. Je la regardai à nouveau et remarquai qu'elle n'avait pris qu'un peu de poids. C'est pourquoi je ne m'en étais pas aperçu.

Nous étions mariés depuis huit ans et voilà que l'enfant tant attendu arrivait. Cette soirée-là, nous avons beaucoup parlé et nous avons fait des projets pour le bébé. Pour la première fois, je réalisai que si nous n'avions pas eu d'enfants, c'était probablement de ma faute. En fait, je ne m'étais jamais senti libéré. Cet enfant avait été conçu le soir où j'avais lu la lettre de Mélanie.

Le 16 juin 1948, par une belle journée ensoleillée, à onze heures du matin, notre enfant naquit à l'hôpital d'Halifax. C'était un beau petit garçon de sept livres et cinq onces. Nous décidâmes de le nommer Julien. Quand Flora le plaça dans mes bras, ce fut tellement un beau moment. Je regardai notre fils et, avec tendresse, je remerciai Flora pour ce gage d'amour. Mais je ne pus m'empêcher de penser à ma fille Monique que je n'avais pas connue.

* * * * *

La vie continuait. Nous étions en 1953. Notre petit Julien avait maintenant cinq ans. Il nous comblait. Flora s'épanouissait, sa maternité la rendant plus heureuse. N'eut été que je pensais toujours à ma fille Monique, j'aurais été complètement heureux. J'étais toujours content d'arriver à la maison après mon travail. Depuis que nous avions acheté cette petite maison de deux chambres à coucher dans la ville d'Halifax, nous étions plus confortables. Nous avions une belle grande cour et il y avait une haie de pins qui séparait notre terrain de celui du voisin. L'autre côté de la maison donnait sur la rue. Après une absence, j'aimais bien retrouver Julien, qui me sautait dans les bras, et Flora qui m'embrassait tendrement. C'était ça la vie dont j'avais toujours rêvée.

Nous avions avec nous le petit François, le fils d'Émile, pour quelques semaines car ses parents étaient en voyage. Julien et lui jouaient dans la cour. Flora et moi aimions bien nous asseoir sur le balcon pour regarder notre fils jouer. C'était devenu une coutume. Depuis la naissance de notre fils, elle avait décidé de quitter l'enseignement et elle s'occupait de lui. Comme nous étions loin de nos familles, j'appréciai cette décision. Nous ne connaissions personne capable de garder des enfants. Ce petit être enrichissait vraiment notre couple.

Le 16 juin 1955, nous fêtâmes les sept ans de Julien. Il y avait plein de ballons attachés à la véranda de la maison. Dehors, sur le parterre, nous avions placé une table de pique-nique sur laquelle trônaient un beau gâteau avec sept chandelles et des plats remplis de sandwiches et de friandises. Alex et Émile étaient venus avec leurs enfants ainsi que maman, âgée de soixante-dix-neuf ans, et Julienne, avec qui elle s'était liée d'amitié après le décès de Marjorique. Émilia et son époux, ainsi qu'Yvette et son fiancé, étaient aussi de la fête. Julien était content et excité. Il avait hâte d'ouvrir ses cadeaux. Tous les adultes étaient assis sur le balcon, à l'exception d'Émilia et d'Yvette qui amusaient les enfants.

Tout à coup, mon regard fut attiré par une femme qui passait dans la rue. Elle semblait chercher quelque chose ou quelqu'un.

* * * * *

Intrigué, je descendis le perron et allai à sa rencontre. Je l'approchai en lui disant:

-   Pardon mademoiselle, puis-je vous aider?

Elle me répondit avec un accent québécois. Elle cherchait un homme du nom de Rodrigue Daigle. Quand je lui avouai que c'était moi, elle devint toute émue et ses yeux se remplirent de larmes. Spontanément, elle dit:

-   Père!

Sans le savoir, j'avais déjà compris. Je m'écriai:

-   Ma chère fille Monique!

Nous nous enlaçâmes. Nous restâmes ainsi pendant plusieurs minutes et nous pleurâmes. Seule Flora comprenait et elle se mit à pleurer de joie. Même si les autres n'étaient pas au courant, ils n'osaient bouger. Ils savaient que quelque chose de formidable venait de se passer et ils respectaient ces moments intenses. Le premier à réagir fut Julien. Il me cria:

-   Papa, qui est cette femme?

Je pris donc conscience des autres. Tout en gardant fièrement un bras autour des épaules de Monique, je me tournai vers Julien et lui présentai sa grande soeur. Je m'avançai vers le perron. Maman descendit la première et serra Monique dans ses bras. Tous l'embrassèrent. Dans les yeux des adultes, il n'y avait que des larmes de joie.

Un jeune homme semblait attendre plus loin et Monique me dit que c'était son frère. Je l'invitai à se joindre à nous et remarquai qu'il ressemblait à mon frère Basile. Maman était tellement heureuse de connaître ses deux petits enfants. Monique me ressemblait beaucoup, mais elle avait les mêmes yeux que sa mère Mélanie. Julien s'approcha de Monique et lui demanda de jouer avec lui. Quelle coïncidence! Le grand jour était arrivé alors que la famille était réunie.

Flora, qui s'était un peu retirée, vint vers moi, m'enlaça et me dit tout bas:

-    Tout comme toi, j'attendais ce grand jour depuis longtemps. Nous regardâmes l'horizon. C'est avec une forte émotion que je me souvins de Mélanie, de Marjorique, de mon père et de mon frère Basile! Tous ces êtres avaient beaucoup marqué ma vie. Les retrouvailles étaient finalement complètes!

* * * * *

**Joanne Lebreton
(Tracadie-Sheila)**

La croisée des chemins

Il est trois heures du matin, le 22 juin 1985. La tranquillité de la nuit va s'évanouir dans quelques heures. Pendant que le voisinage sommeille paisiblement, les yeux du pêcheur scrutent l'horizon de la baie de Tracadie.

Seul avec son chien, il questionne l'intégrité de dame nature. Dans un firmament qui se laisse à peine discerner, il voudrait bien percer les mystères qui se cachent sous cette brise agitée. Il est nerveux, jongleur, hésitant dans sa cuisine où transpire une forte odeur de thé. Le geste répétitif de la main dans ses cheveux quasi inexistants semble bien indiquer qu'il craint un mauvais présage. Il n'a que le temps de tremper ses lèvres dans le thé que son regard se perd à nouveau dans l'étendue lointaine. Son désir de saisir la journée est en conflit avec ses expériences passées.

Mon père est trop bien renseigné sur la force endiablée que peut cacher autant de beauté. Soucieux, il savoure la fraîcheur de son thé qui s'apparente très bien à la naissance de l'aube. Il observe. Il veut apprivoiser l'état fébrile qui l'habite.

À la radio, la météo maritime annonce du vent soufflant du nord-ouest à 25 noeuds, allant en augmentant tard dans l'après-midi. Rafales occasionnelles. Vagues moyennes pouvant atteindre jusqu'à 9 mètres. Risque d'orage prévu tard en après-midi. L'heure des marées... Pour Tracadie... Marée haute à 5h15, marée basse à 17h35. Pour demain, vent du nord-est pouvant atteindre une vélocité de 90 noeuds.

Et pendant que les mots s'engouffrent dans le silence, on discerne à peine l'avis aux petites embarcations. Il croyait trouver un allier en écoutant la radio émetteur. Cependant, elle refuse de lui laisser oublier le prix à payer pour une décision insensée.

Il questionne la possibilité d'une sortie en mer bien dirigée. Son expérience, fort de ses années, lui laisse croire qu'il aura le temps de rentrer si le vent veut menacer l'intimité d'un pêcheur avisé. Et soudain, ses yeux noir charbon pétillent de toute leur splendeur. Son sourire narquois ajoute une note espiègle à son visage brûlé par le vent salin de la mer. On croirait que la vague est venue terrasser sa peau avec le savoir d'un maître-artiste, pour ajouter les plus fins détails qui enjolivent sa rudesse. Ses rides enfouies en profondeur cachent plus d'un récits qui n'ont jamais été racontés.

* * * * *

La noirceur endormie se courbe doucement sous les caresses du soleil qui frémit encore malgré une lumière qui éblouit. L'horizon s'éclaircit, les nuages sont partis et le vent s'est adouci. La journée prend naissance dans l'envie folle de partir se bercer sur la bruine de l'oubli.

Il est à peine six heures du matin, mais déjà le quai de Tracadie s'endort. Les pêcheurs sont sortis. Seuls les goélands sont restés, comme présage d'un grand festin qui s'annonce. Moi, je file à toute allure vers Caraquet. Mon voilier Ézili m'attend. Avec cette brise qui monte, les cordages vont m'accueillir en sifflotant un air marin. Et l'esprit enfantin de la novice que je suis se laissera charmer par cette ambiance chevaleresque.

Naviguer l'insouciance, rechercher la souplesse et envier la beauté m'amusent. J'aime observer les nuages qui se jouent de mes pensées. Et j'invente à chaque minute un théâtre de marionnettes pour le spectacle qui va commencer. Je suis tellement absorbée que je n'ai pas le temps de réfléchir à tous les éléments qui se cachent derrière ce panorama qui me grise. Je suis là, seule, à rêver de liberté...

Mais la brise est tenace. Son irrégularité m'agace. Tantôt, elle me flagelle. Tantôt, elle me caresse, mais avant tout elle me glace. Je voudrais être tenace et défier la vague qui se gonfle sous la force du vent. Mais attention, les voiles se tendent au-delà de mon attente. La trop grande résistance a vite raison de mes muscles tendres. Devant l'évidence, mieux vaut s'aviser et rentrer. Je refuse de jouer au hasard de gagner. J'ai peu navigué, mais je connais le danger de perdre la maîtrise de mon voilier. Père m'a trop souvent prévenue.

Le temps de virer le nez du voilier face au vent et le tour est joué. En deux trois coups de manoeuvre, les voiles sont tombées. Le moteur ronronne gaiement. Il suffit de barrer jusqu'à l'arrivée au quai. Bien que j'aie le coeur serré, je sais qu'il n'y a pas trop de danger.

Mon voilier gagne facilement sur les éléments déchaînés. Sa construction est robuste et il a été bâti en fonction des grandes traversées. Il faut avouer que j'ai plus peur d'accoster au port de plaisance que de me faire fortement secouer par les flots. Une fois en sécurité, je ne peux m'empêcher de penser à mon père qui s'attarde à lutter contre les risques du métier. Je le sais habitué.

Et pourtant, je n'aime pas cette mer enragée! Je n'arrête pas de me demander qui ou quoi a bien pu la frustrer. Le temps d'un clin d'oeil et tout a chaviré... Pourquoi?

Le temps de ranger l'équipement et de m'assurer que tout est en sécurité, je décide de rentrer à la maison. Je veux voir arriver mon père, qui sera sûrement fier de sa randonnée. Et bien entendu, je veux l'agacer. Car, depuis que j'ai mon voilier, les comparaisons ne font qu'augmenter.

* * * * *

Il est midi, le quai bouille d'activités. Les pêcheurs échangent leurs idées. Quelques-uns s'attardent à parier que le début de la tempête va se déchaîner avec une grande rapidité. Les autres semblent se soucier de leurs casiers à homard qui pourraient se déplacer. Peu d'entre eux peuvent absorber le coup financier. À travers une forte odeur de rhum, on dénote un va-et-vient. Moi, j'écoute peu les bavardages. Je suis inquiète. Père tarde d'une demi-heure.

Je n'aime pas ce ciel qui crache sa véhémence. Tout semble ensorcelé. Je vais donc vérifier si ma mère sait où est mon père. Toutefois, aucune nouvelle!

Au fil des minutes, le temps m'avise de l'urgence qui s'annonce. Il ne faut pas tarder. La poissonnerie est sûrement au courant de l'heure prévue de l'arrivée de mon père. Monsieur Arseneault m'affirme qu'il est à la bouée d'assurance et que, sous peu, il sera au foyer. Les minutes courent, mais je les sens s'arrêter. Une demi-heure passe... Une heure s'écoule...

Le Dauphin refuse de montrer sa silhouette grise. Quelque chose m'énerve... J'ai un pressentiment de malheur... Ça ne va pas... Ce n'est pas dans ses habitudes... D'accord, il prend des risques, mais jamais à ce point.

Je file à mon auto, jumelles en mains. Je me précipite à La Pointe à Bouleaux. On doit pouvoir l'observer de là. Je scrute l'horizon... Rien... Il doit être là... Sinon, on le verrait rentrer paresseusement sur la baie. Chaque matin, à 11h30, on le guette saluer sa demeure comme pour confirmer que la journée est terminée.

Je cherche anxieusement encore et encore... Soudain, dans mon champ de vision, j'aperçois le bateau. Mon coeur s'arrête, fait quelques bonds à l'envers pour témoigner sa joie. Il est là. Il est vivant. Mon inquiétude était vaine. Je savais bien que mon père était rusé. Ce vieux loup de mer en a vu bien d'autres.

Mais je comprends difficilement pourquoi il bouge peu. Je l'observe... J'émets des cris... Ils se perdent dans le vent. Il s'éloigne de la bouée au lieu de s'en approcher. Il semble être déchiré par chaque vague qui se succède à un rythme infernal. Ce n'est pas normal!

- Voyons «dad», qu'est-ce que tu fais?

Je sens mes tripes se crisper comme des noeuds. La peur qui m'envahit brouille mon esprit. Le froid qui me saisit m'empêche de raisonner. Je veux rester là, l'observer, ne plus le quitter des yeux. Mon univers semble vouloir s'effondrer dans un silence éternel qui tend vers l'infini. Je me raisonne.

Je retourne au quai de Tracadie. Je suis fâchée de voir que tous sont rentrés, sauf mon père. De plus, personne semble se soucier de son absence. Il faut dire que tous le croient rentré à l'embouchure de la baie. Donc, il y a peu de danger. Je rappelle la poissonnerie. On reconnait vite l'urgence de mes pensées. Après avoir raccroché, le téléphone sonne.

- Joanne, on confirme qu'il a été vu la dernière fois à la bouée d'assurance.

- D'accord, mais une heure et demie a passé. Je l'ai observé, il s'en éloigne. Il doit s'être passé quelque chose.

Son moteur a peut-être calé... Je ne sais pas. Il a un C.B. à bord. Pourquoi ne téléphone-t-il pas? Je vais retourner l'observer.

Cette fois, je me rends à Val-Comeau. Du bout de la pointe, je serai mieux placée pour voir.

En peu de temps, quelques pêcheurs se sont rassemblés pour évaluer si mes peurs étaient confirmées. Tous sont d'accord pour dire qu'il est à la dérive. Il y a bel et bien urgence. Mais personne n'explique son silence! On observe, on discute. Dans nos coeurs, on veut croire que sous peu on va voir le nez du bateau piquer dans la vague. Hélas, il n'en est rien...

L'appel est lancé à la garde côtière de Shippagan. Coup dur... Il y a un bris mécanique. Il n'y a aucune possibilité de secours avant au moins 5 heures.

- Il sera trop tard. Il faut agir et ça presse.

On est compréhensif, mais mes pensées courent plus vite que mes paroles. À force de bégaiement, j'arrive à leur donner tous les renseignements nécessaires pour préparer le sauvetage. La garde côtière de Halifax est en état d'alerte. On parle d'un sauvetage par hélicoptère. Cependant, la distance est éloignée et la tempête gronde de plus belle. Ils vont aviser!

Pour comble de malheur, il est risqué de tenter une sortie d'urgence! La démence est telle qu'il est impossible de prendre la mer au chenal de Tracadie. La région de Val-Comeau ne vaut pas tellement mieux. Il faut dire que les embouchures s'ensablent au fil des années et personne ne semble s'en soucier. S'il existe une solution, elle consiste à faire appel à un vieux loup de mer. Monsieur Comeau, compagnon et ami de mon père, est toutes oreilles. Pas question de reculer. Il va falloir y aller.

Toutefois, son bateau ne supportera pas les attaques répétitives de cette mer qui déchire avec une férocité sans merci. L'étrave est trop fragile. Les années d'usure ont affaibli sa coque. La vague atteint déjà dix mètres et plus. Devant une telle rage, il est évident que le bateau va plonger dans le sable. Donc, il faut un bateau gagnant si on veut mettre la chance de notre côté.

Malgré une éternité, à peine cinq minutes se sont écoulées... Le téléphone semble déchaîné...

- Luc, c'est Jean-Marie. Mon bateau peut le prendre. Les gars sont prêts. Viens nous trouver au quai dans cinq minutes. Tarde pas, il faut se presser. Ça va harcer, au chenal, mais le bateau est neuf. Il devrait pouvoir tenir le coup.

Celui qui a vécu la détresse n'hésite pas. Il prend la mer à toute vitesse. J'aurais voulu faire partie du voyage, mais j'ai vite compris que je serais de trop. L'observer par voie de terre ne sera pas facile non plus. Je dois prendre le temps de me contrôler. J'arrive difficilement à croire que de l'aide s'en vient pour mon père que j'aime tant. Et en cet instant, je réalise combien peu de fois je lui ai souligné cet amour.

Le temps d'arriver à Val-Comeau et les plages ensablées ressemblent à une fourmillière. Déjà le bateau secours est secoué à l'embouchure. Chacun retient son souffle chaque fois qu'il plonge. Et devant une telle fureur, chacun adresse une prière à l'éternel. L'intensité de la mer est puissante. Elle désensable tous les souvenirs et les souffrances enfouis dans le coeur de ce coin d'Acadie perdue.

Pratiquement chaque famille a déjà vécu un deuil lors d'une tempête comme celle-ci. Il leur est facile d'en saisir la portée. Il suffit d'observer les milliers de homards éventrés sur la dune pour confirmer la férocité de la nature. Même eux, de leurs gigantesques pinces, n'ont pas su éviter le sort qu'on leur destinait.

Les corps se perdaient dans les cages prisonnières des filets. Entremêlés les uns aux autres, ils éveillaient beaucoup d'émotions. Pour le touriste, c'est une scène émouvante. Mais pour les Acadiens qui connaissent l'envers de la médaille, le temps s'arrête pour emprisonner l'homme, marin de son métier.

Tous connaissent l'intensité de ce moment. Et malgré une pluie glaciale, personne n'ose bouger. Seuls les cris d'exclamation déchiraient l'air quand le bateau disparaissait, englouti sous un amas de mer. Allait-il s'en sortir? Quatre pêcheurs risquaient leur vie pour en sauver deux autres. Une collaboration née de la misère, de père en fils.

Certains me diront qu'ils sont fous. D'autres encore oseront dire qu'ils forcent trop souvent le temps. Mais qui comprend l'esprit qui anime celui qui est confronté chaque jour à la mer? Trop souvent, l'état des finances engloutit la sagesse pour faire confiance au destin. Et en ce jour macâbre, quatre hommes confiaient aveuglément leur sort à cette Providence. Être solidaire était le mot de passe. Une foi qui ne se discute pas animait ces hommes.

Et tel un dragon des mers, le «J.M. Benoît» faisait surface avant de s'enfoncer plus creux dans la vague en direction des naufragés. Malgré plusieurs volte-face, rien ne semblait pouvoir l'arrêter. Aucun dialogue en provenance du bateau n'était perceptible de la plage où je me tenais immobile. Pourtant, dans mon esprit, je croyais entendre les mots du capitaine.

- Je t'aurai, maudite mer. C'est pas vrai que tu vas gagner. T'auras pas une autre chance d'avaler deux autres de mes compagnons.

Et dans mes pensées, je le voyais perdre pied chaque fois que le bateau semblait faire un tête-à-queue.

- Tu vas cracher ta misère, lui retorquait la mer.

Et je sentais chaque personne se crisper, vibrer, lutter en guise de solidarité. C'est à croire que les mille et une personnes rassemblées sur les plages avaient pris place sur le bateau.

L'esprit d'unité qui régnait ce jour-là allait dérouter toutes les chimères. Le temps semblait confondu à la nuit. Plus l'intensité du vent augmentait, plus l'orage s'intensifiait. Les nuages ressemblaient à un tableau au regard glacial et funeste. Et quelque part en Acadie se précipitait une étincelle de vie.

La distance qui séparait les deux embarcations était maintenant minime. En peu de temps, il y aurait possibilité d'abordage. Malgré tout, le danger était grand. Un transfert en mer, dans de telles conditions, est loin d'être facile.

Et qui l'aurait cru! Père refusa la transition. Il fallait sauver son bateau à tout prix! Il ne pouvait se décider à laisser la mer avaler le rêve de sa vie. Il avait investi trois ans de dur labeur pour atteindre son objectif. Ce bateau, construit de ses propres mains, n'allait pas s'évader de sa vue. Il faisait partie intégrante de son âme. Il l'avait visualisé, dessiné, caressé et perfectionné à son goût. Pour lui, il était vivant. Ce bateau représentait toute sa raison de vivre.

- Alban, il faut que t'embarques. Le temps presse, cria Jean-Marie. Fous-le à l'ancre, la mer va le bercer. On reviendra demain. La garde cotière va s'en occuper.

- Embarque Camille. Moi, je vais rester, rétorqua père.

Devant le pire, le pêcheur sait reconnaître l'émotion. On va tenter un remorquage en mer. Les cordages sont lancés, malgré tout l'illogisme qui s'y rattache. Hélas, le sort a déjà empreint la toile de sa défaite. Les câbles en nylon pètent comme des ficelles de coton. Et le danger de passer par-dessus bord devient de plus en plus évident.

- Alban, il faut abandonner... Allez, viens...

Il résiste. Il veut lutter. Il veut gagner ce défi insensé. C'est comme s'il avait oublié tous les naufrages du passé.

- Vas-y Camille... Allez, saute. Je vais t'aider, cria mon père.

Mais Camille reste figé. Il ne peut résister. La peur l'a saisi.

- Goddam Camille. Tu vas sauter, oui ou non?

Mais ses yeux sont glacés. Tel un condamné, aucun son ne sort de sa bouche. Son regard livide nous avise qu'il a abdiqué. Ses yeux implorent la clémence. Il n'en peut plus. Il reconnait son ami et compagnon de pêche, mais la volonté a lâché.

De ses poings forts, mon père le saisit et le pousse sur le nez du bateau. Père est déchaîné. D'une voix rauque, à bout de souffle, il hurle...

- Tu vas sauter, sinon je te garantis que je te botte le cul!

Cependant, les heures ont marqué ce corps trop flagellé. Les jambes engourdies et tremblantes répondent mal au mouvement de la vague. Un faux pas... et plouf!

- Un homme à la mer!

Les hommes s'agitent. Une gaffe est lancée. De justesse, on saisit le ciré. Tous sont subjugués. De peine et de misère, l'homme est hissé à bord. Devant une telle réalité, mon père n'a pas d'autres choix. Il doit lui aussi admettre l'évidence. Toutefois, il prend le temps de glisser deux ancres pour tenter de ralentir la dérive du bateau. Un bref instant, prendre le temps de le saluer. Père abandonne son bateau.

Pratiquement personne ne saisit le conflit intérieur qui se joue. Pour eux, on vient de sauver deux hommes. Le temps de rentrer et la victoire sera acquise.

Mais pour le marin avisé, le spectacle est particulier. Tandis qu'un bateau rentre au port, l'autre est laissé là à se balloter dans la tempête.

- Y'en a pour environ cinq heures, les uns rétorquent.

- Les ancres ne tiennent pas. Elles dérapent, disent les autres.

Mais chacun est conscient que l'outil principal du pêcheur va aller là où l'emporte le vent, soit dans les entrailles de la mer.

Je ne suis pas restée à regarder le présent se jouer des passants. J'avais la certitude que trop de remerciements avaient été adressés en prière pour qu'une bavure élimine l'effort du sauvetage. Et franchement, j'en avais assez vu. Je sautai dans mon auto et la route pour le quai me parut trop simple. Au loin, je voyais un bateau se tordre, mais cette fois, je crus voir des prouesses de fierté. À bord, on lève son verre au père. L'amitié est scellée au rhum.

Et plus la terre ferme se rapproche, plus la joie se manifeste. À l'arrivée au quai, le regard de mon père avait perdu toute sa splendeur. Pour la première fois, je voyais ses soixante ans marqués. Son allure trébuchante témoignait de l'allure endiablée de la mer. Et son silence de fer me disait d'attendre qu'il reprenne ses esprits.

Quelques gorgées de rhum prises à toute vitesse semblèrent le réchauffer. Cependant, le froid intérieur était resté. Je m'amuse encore de l'animation qui régnait sur le quai. Vint enfin s'ajouter le goût de blaguer. Ils inventaient toutes sortes de récits colorés du sauvetage assurés avec succès. On aura un sujet de conversation pour les jours et les années à venir.

Chez nous, le coeur n'est pas à la fête. Ma mère est agitée par les événements qui viennent de se dérouler. Elle comprend mal cette ivresse mal placée. Sept années de sobriété l'ont déroutée. Elle est totalement dépassée par les démons qui essaient d'enchaîner mon père. Allongé sur le divan, à demi conscient, il semble encore lutter contre une mer diabolique. Sa réalité est partie naviguer là où, quelques heures auparavant, il a failli trépasser. Le temps de le rassurer, il revient au présent pour repartir aussitôt s'engloutir dans les ténèbres agités. Effrayé, égaré, sans conscience du temps ou de l'espace, il hurle...

-    Où est-ce que je suis?

- Dad, c'est fini. Tu es en sécurité.

- Et Camille lui?

- Il est couché dad. T'inquiètes pas, il dort. Repose-toi maintenant, on reste ici.

Et l'inconscience s'installe pour lutter contre la mer qui veut encore l'avaler. Il marmonne. On distingue mal ses paroles. Il est certain que dans sa tête, la tempête continue. Mère lui caresse la tête. À l'occasion, il ouvre les yeux. Rassuré, il s'endort.

Il est 21 heures. La tempête ne s'est pas calmée. Dans la folie du moment, personne n'a songé au bateau de mon père.

- Toc...Toc...Toc... La police municipale est là.

- Qu'est-ce qui se passe encore?

- Alban est là?

- Oui, il dort. Puis-je vous aider?

Son ton sérieux semble annoncer une mauvaise nouvelle. Je l'invite dehors, car je ne veux pas énerver ma mère. Elle a déjà reçu son lot d'émotions pour aujourd'hui. La porte à peine fermée, je fais face à monsieur Onile Comeau.

- Joanne, le bateau de ton père vient de s'écraser sur le banc de sable à environ un demi-mille de la plage. Me donnes-tu la permission de plonger pour l'aborder et faire le nécessaire pour le renflouer?

Il faut savoir qu'un bateau laissé à la dérive, lors d'une tempête, appartient à celui qui a le courage de le naviguer.

- D'accord, je vous suis, fut ma réponse.

Je suis surprise de constater que la foule sur la plage ne s'est pas dispersée. Ça me prend quelques minutes pour réaliser que les pêcheurs ont pris soin de rester afin d'observer la déroute du bateau.

Le temps d'enfiler leur habit, les plongeurs sont partis. Le bateau est là à subir le fracas des vagues. On voit le maquereau sorti des caisses. Tout n'est que désolation. Aux alentours flotte la mort. À peine distingue-t-on le cadre de la vitre avant qui a éclaté sous la pression de cette force enragée. Cependant, on croit que la coque a su résister. Et si l'étrave est protégée, ça vaut la peine de hisser le bateau.

Ça crie de gauche à droite...

- Va chercher Arcade. On a besoin du «winch» sur son 4 x 4.

- L'étrave est bonne. Il va falloir se presser. Le bateau ne va pas résister des années. Il commence à s'ensabler sérieusement.

Les minutes qui passent ressemblent plutôt à des heures. Chaque fois qu'une vague arrive, on entend les bordages craquer. On est presque assuré que la prochaine va être la dernière car, physiquement, une coque de bois ne peut pas prendre bien longtemps un tel châtiment.

Je suis impuissante. Je suis seulement là comme spectatrice. Mais jamais je n'oublierai ce spectacle.

La nuit avance pour annoncer une nouvelle journée qui ne semble pas vouloir se montrer. C'est comme si le temps s'était figé. Les gens ont complètement oublié que la terre continue de tourner et que demain suffira sa peine.

Assise parmi l'avoine sauvage se dresse la silhouette de mon père. Depuis quand est-il là? Avec un regard figé, il observe à distance son rêve s'envoler. Ce naufrage semble avoir sonné, dans une journée, le glas de vingt années d'existence. Son dos est courbé sous le poids de la vague, comme si lui et le bateau ne faisaient qu'un. En aucun temps, il a le courage de se lever et de diriger l'opération. Il les observe d'un regard songeur qui semble flotter dans les limbes. Je n'ai pas le courage d'oser le sortir de son monde enchaîné car, honnêtement, je ne saurais le consoler. Ça dépasse mes pensées.

Des grincements se font entendre. Des éclats de voix s'y mêlent. Et tranquillement, la mer lâche sa proie. Une proie affaiblie, extirpée de ses entrailles, comme un grand blessé de guerre. Et en quelques instants, le récif de Val-Comeau étale le trophée qui révèle au monde entier l'horrible bataille du mois de juin 1985. C'est une victoire! Une victoire gagnée dans l'amitié et la solidarité.

Mais sous le regard solennel du soir, un pêcheur est laissé seul. Il est seul avec ses pensées qui envahissent son monde intérieur brisé. Je le vois caresser la coque de son bateau. Tantôt, il saisit le flanc déchiqueté. Il lui parle. Il se hisse à l'intérieur. Il jette à l'extérieur toutes les algues marines qui lui donnent une allure funeste. C'est comme si ensemble, ils pouvaient réussir à exorciser le chemin qu'ils venaient de croiser.

* * * * *

Jacques Ouellet
(Tracadie-Sheila)

Dans l'ombre du cabestan

Il est presque minuit en ce soir de mai et je ne dors pas encore. Allongée dans mon lit, j'attends. Je sais que quelques minutes après minuit, le silence qui a maintenant envahi notre petite maison de la côte du nord-est du Nouveau-Brunswick sera perturbé par le craquement que fait la porte de la chambre à coucher de ma mère.

Au cours des vingt dernières années, le quinze mai, à minuit, ma mère, Églantine, se lève sans faire de bruit et sort de la chambre, où elle couche seule depuis la disparition de mon père dans les entrailles glacées du golfe Saint-Laurent. Il était pêcheur de profession. Un métier noble, mais dur. Un métier qui coule dans les veines de tous les Acadiens de la côte est de notre province.

J'ai découvert ce rituel de ma mère il y a déjà plusieurs années. Je me souviens du premier soir où je m'en suis aperçu. Comme ce soir, je ne pouvais pas trouver le sommeil et je me demandais pourquoi. Soudain, j'entendis du bruit dans la chambre voisine de la mienne. C'était ma mère. Je sais maintenant qu'elle faisait très attention pour ne pas nous réveiller, mes six soeurs et moi, parce que chacun de ses pas était lent et synchronisé sur le plancher de bois franc qui craquait sous son poids au fur et à mesure qu'elle s'approchait de la porte de sa chambre. Le silence revenait pendant quelques secondes, puis la porte s'ouvrait en produisant ce petit grincement agaçant provenant des pentures usées par le temps.

171

Elle passait toujours lentement devant ma porte pour ensuite descendre l'escalier de bois qui faisait du bruit à chaque marche, comme s'il était atteint d'emphysème. Arrivée au bas de l'escalier, elle sortait de la maison et disparaissait dans la nuit, éclairée uniquement par l'astre d'argent et son reflet sur les eaux calmes comme un miroir du golfe. Je me suis levée sur la pointe des pieds puisque Simonne et Aline couchaient dans le même lit que moi. De là, je m'étais dirigée vers la petite fenêtre étroite de ma chambre qui donnait sur la mer. Et là, en écartant les rideaux de dentelle, j'aperçus ma mère qui se dirigeait vers la grève sablonneuse derrière notre maison.

Ma mère s'éloigna de plus en plus de la maison jusqu'à ce que je la perde de vue de mon mirador improvisé. Je me demandais où elle pouvait bien aller. J'avais l'impression qu'elle se dirigeait vers un rendez-vous clandestin. Je me disais que c'était impossible puisqu'elle aimait éperdument mon père, même s'il n'était plus avec nous.

Je me rendis à mon lit et m'arrêtai à côté. Là, dans le reflet de la pleine lune, j'examinai mes deux petites soeurs qui dormaient profondément comme si rien ne pouvait les déranger. Je m'étendis à côté d'elles tout en prenant soin de ne pas les tirer de leur paisible sommeil.

Je me posais toujours la même question. Où pouvait bien aller ma mère? De plus en plus de questions me bombardaient les méninges. Celle qui revenait le plus souvent était de savoir si ma mère avait rencontré un amant pour lui faire oublier mon défunt père. Si c'était le cas, pourquoi le cachait-elle après toutes ces années? Avait-elle peur de nous blesser, nous, ses enfants? Était-ce quelqu'un que nous connaissions... que mon père connaissait? Je ne pouvais plus trouver le sommeil.

Mais où était-elle donc partie? Les minutes se transformaient en heures et les heures se multipliaient. Elle ne revenait toujours pas. Puis, sur le mur faisant face à ma fenêtre, je commençai à distinguer les premières lueurs du jour. Ma mère n'était toujours pas revenue. J'étais tellement inquiète que je décidai d'aller à sa recherche lorsque j'entendis la porte s'ouvrir. Elle était arrivée. Dieu soit loué! Elle était revenue. Je l'entendis remonter l'escalier de la même façon qu'elle l'avait descendu plusieurs heures auparavant. Puis, à ma grande surprise, je l'entendis se diriger vers notre porte de chambre.

Avec une attention particulière, elle l'entrouvrit. Tout comme la sienne, des grincements de pentures usées se firent entendre. Puis, dans la petite fente entre la porte et le cadre de bois, j'aperçus le doux visage de ma mère. Elle souriait. Elle souriait comme une femme qui sourit lorsqu'elle est heureuse. Heureuse d'avoir passé quelques heures en bonne compagnie. Mais qui donc était cette compagnie?

De mes yeux à demi clos, je la voyais radieuse comme elle l'était tous les jours. Je fis attention de ne pas bouger. Je ne voulais surtout pas qu'elle se rende compte que je n'avais pas dormi depuis son départ. Elle referma la porte et redescendit.

Une nouvelle journée commençait et ma tendre mère était au rendez-vous. Dès les premières lueurs de l'aube, tous les jours, cette femme d'un certain âge était debout pour préparer notre modeste petit déjeuner en attendant notre réveil.

Ce matin-là, alors que nous étions tous en train de manger notre premier repas de la journée, je décidai de débuter mon interrogatoire sans pour autant faire mine que je me doutais de sa sortie nocturne sous la voûte céleste la nuit précédente. Malgré toutes les questions indiscrètes que je lui posai, ma mère gardait toujours le sourire tout en me laissant savoir que j'avais une imagination un peu trop fertile. Elle me répéta à plusieurs reprises qu'elle avait passé une très bonne nuit dans les bras de Morphée et qu'elle s'était réveillée, comme tous les matins, avec le chant du coq et les premiers rayons de soleil.

Elle mentait, elle le savait et je le savais. J'avais la preuve qu'elle me cachait la vérité ainsi qu'à mes soeurs. Mais pourquoi? Elle se rendit compte que je me doutais de quelque chose. Je l'avais surprise à quelques reprises lorsqu'elle me jetait des regards furtifs. C'est à ce moment que je décidai de cesser mon interrogatoire.

La journée s'était déroulée comme d'habitude. Pendant que ma mère vaquait aux travaux ménagers quotidiens, j'accomplissais ceux que mon père avait l'habitude de faire. Étant l'aînée de la famille, ces responsabilités m'étaient revenues à sa disparition. Non pas parce que je le voulais, mais parce que le seul homme de la famille qui avait la responsabilité de les faire n'était plus avec nous. Quelle perte pour notre petite famille!

Je me souviens très bien de ce jour tragique. La cadette venait tout juste de venir au monde. Elle n'avait que quelques jours. Ma mère était très fatiguée et mon père se préparait à prendre la mer. C'était la saison de la pêche au homard.

Mon père, peu fortuné, ne possédait qu'un simple petit doris que l'on appelait, dans notre jargon côtier, un «pic-à-poc». À son bord, il avait déposé la bouette pour les cages à homard, lorsqu'il les sortait de l'eau salée après avoir retiré le petit crustacé à pinces de ses trappes.

Je me souviens l'avoir vu se diriger vers moi sur la grève. Arrivé à moi, il me prit dans ses bras et me donna un baiser sur la joue, puis il me dit d'aller dire à ma mère qu'il ne serait pas longtemps parti. Le temps semblait vouloir se couvrir et il voulait faire une petite «run» pour vérifier les trappes qui étaient plus près de la côte. Puis, il se retourna et se dirigea vers son «pic-à-poc» rouge et blanc. Je lui fis signe de la main et je lui soufflai un baiser comme ma mère avait l'habitude de le faire tous les jours.

Curieusement, c'était la première fois que mon père n'embrassait pas ma mère avant de prendre la mer. Ce fut la dernière fois que j'ai embrassé mon père... Ce fut la dernière fois que je l'ai vu. Je suis retournée à la maison pour avertir ma mère que papa était parti pour peu de temps. Elle me regarda et j'ai senti une certaine tristesse dans ses yeux. Sans dire un mot, elle sortit dehors et lui fit signe de la main, sachant fort bien qu'il ne la verrait point.

Ma mère regarda le firmament avant d'entrer dans la maison. Je sentis qu'elle n'avait pas aimé ce qu'elle avait vu.

Le ciel devenait de plus en plus gris de nuages et la lumière du soleil diminuait à l'horizon, jusqu'à ce qu'il ne resta plus qu'une fine ligne blanche qui séparait les nuages et la mer. Le vent se leva alors. Il vint de la terre et se dirigea vers le golfe. Une rafale de vent surgit brusquement, comme si elle était apparue de nulle part. Du sable, des feuilles mortes de l'automne précédent et des vêtements suspendus à la corde à linge fixée entre la maison et le gros bouleau situé à quelque trente pieds derrière chez nous fouettèrent le côté de notre petite demeure en bardeaux.

Ma mère sortit de la maison en courant avec la dernière de mes soeurs dans les bras. Elle fixa la mer d'un regard désespéré en tentant de repérer le petit «pic-à-poc» de mon père. Mais il n'y avait rien que d'immenses vagues qui s'éloignaient de la côte en laissant tomber leurs toupets blancs dans l'eau agitée du golfe.

Ma mère chérie entra de nouveau dans la maison en serrant son poupon dans ses bras. Ses yeux pleins de larmes semblaient tracer des sillons sur ses joues devenues blanches. Ce fut la dernière fois que je vis ma mère pleurer... Il y a vingt ans de cela aujourd'hui.

Le soir venu, la tempête cessa. Le ciel était redevenu bleu et les nuages, blancs comme la neige, s'étaient dispersés. La nouvelle de la disparition de mon père courait sur toutes les lèvres de notre petit village. Tous les pêcheurs, qui étaient sortis ce matin-là, étaient rentrés sains et saufs... Tous, sauf mon père.

Chaque pêcheur tenait à expliquer à ma mère sa version des causes de la disparition de mon père. Mais ma mère s'était retirée trop loin dans ses pensées et sa peine pour leur porter attention. Elle resta debout sur la grève pendant des heures. Même la tombée de la nuit ne sembla pas la déranger.

Mes soeurs et moi étions à ses côtés depuis le début de cette tragédie. Même la dernière de mes soeurs, un bébé, semblait ne point vouloir pleurer pour ne pas distraire ma mère qui ne voulait pas vivre ce deuil inévitable. Très tard, elle me passa ma petite soeur et me demanda d'aller la coucher dans son berceau. Elle ordonna à mes soeurs de me suivre et nous dit qu'elle ne serait pas longtemps avant de revenir.

En me dirigeant vers la maison, je me tournai vers ma mère pendant quelques instants. Elle avait changé de position. Elle était maintenant accroupie à côté du cabestan que mon père avait construit pour amarrer son petit bateau chaque fois qu'il revenait de la pêche. Dans ses mains, elle tenait un bout du câble fixé au cabestan. Elle le fixait comme si elle lui parlait. De ses doigts, elle caressait la rudesse de cette corde tout en la serrant contre sa poitrine.

Je me retournai et je rentrai à la maison le coeur gros. Je ne pouvais pas comprendre tout ce qui était arrivé en cette journée de mai, mais je savais qu'elle serait à tout jamais imprimée dans mon esprit.

Aujourd'hui encore, je revois tous ces événements comme s'ils s'étaient produits hier. Mais j'ai grandi depuis et j'ai acquis une certaine maturité, avec la responsabilité des travaux de tous les jours. Depuis quelques années maintenant, j'ai entrepris le métier de pêcheur de homard comme mon père l'avait fait depuis l'âge de douze ans. J'ai de l'aide, bien sûr.

Mon grand-père Benjamin, le père de mon père, me donne un coup de main avec les seines à hareng, la réparation des casiers à homard ainsi que la confection de nouvelles cages. Mais il ne se passe pas un jour sans que je me repose les mêmes questions au sujet de ma mère et de ses balades nocturnes tous les quinze du mois de mai.

Le lendemain de ma découverte, j'entrepris d'en savoir plus long sur ma mère et son amant invisible, si amant invisible il y avait. À l'heure du dîner, immédiatement après le son de l'angélus au clocher de notre petite église, je décidai de parler à ma mère. Mes soeurs étaient à la petite école de campagne et j'étais seule avec elle.

Elle était occupée à accrocher nos vêtements sur la corde à linge lorsque je lui demandai où elle était allée la nuit précédente, ainsi que toutes les autres nuits du quinze mai depuis la disparition de mon père.

Elle s'arrêta, se retourna et me regarda, souriante. Puis elle me donna la réponse dont je me doutais le moins. Je fus tellement surprise de voir son visage souriant lorsqu'elle me répondit que je ne pus la regarder directement dans les yeux. Elle avait vu ma honte d'avoir douté d'elle pendant toutes ces années de solitude, elle, la veuve du pêcheur qu'elle aimait encore de toute son âme.

Elle me répondit qu'elle allait à la rencontre de mon père. Elle le revoyait tous les quinze du mois de mai, chaque année, depuis sa disparition vingt ans auparavant. Elle me dit qu'au cours des vingt dernières années, les nuits du quinze mai avaient toujours été étoilées et sans nuages, et que la lune avait trôné dans le ciel comme une reine surveillant ses sujets.

La mer avait toujours été calme durant cette nuit, tellement calme qu'elle reflétait l'astre d'argent et ses sujets célestes. Ma mère continua de m'expliquer que le soir même de la journée où mon père avait disparu en mer, elle l'avait revu.

C'était peu après qu'elle m'avait demandé de retourner à la maison pour coucher mes soeurs. Ma mère était demeurée dans l'ombre du cabestan pendant plusieurs heures lorsqu'à minuit sonnant, à travers ses yeux gonflés par la peine, elle entendit la voix de mon père qui l'appelait.

Elle me dit qu'elle s'était levée en s'appuyant sur le cabestan et qu'elle avait regardé vers les eaux redevenues calmes. Là, à quelque cent mètres de la côte, elle avait alors revu mon père. Il était debout dans son «pic-à-poc», fier comme un érable, et il fixait ma mère. Puis il lui parla.

En enlevant la petite casquette qu'il avait toujours sur la tête, il lui demanda pardon de n'être pas allé la voir pour l'embrasser avant son départ pour sa petite «run» de pêche. Il lui dit que s'il était retourné à la maison pour l'embrasser, il serait encore avec elle ce soir. Oui, elle l'aurait certainement convaincu de rester avec elle et les enfants, le temps se faisant de plus en plus douteux.

Mon père lui avait aussi avoué, pour la première fois depuis qu'ils se connaissaient, qu'il l'aimait de tout son coeur. Et c'est à ce moment-là qu'il lui avait promis qu'il reviendrait la revoir, ici, dans l'ombre du cabestan, à minuit, tous les quinze mai, jusqu'au jour où il viendrait la chercher.

Ma mère lui fit la promesse de venir à sa rencontre. Elle l'assura qu'elle serait vêtue de ses plus beaux vêtements pour le recevoir parmi les vivants. Elle lui promit à son tour que jamais elle ne connaîtrait d'autres hommes.

Je regardai cette femme exceptionnelle dans les yeux. C'est à ce moment que je compris pourquoi mon père pouvait l'aimer autant. Ses yeux bleus et perçants pouvaient attirer le regard de n'importe quel homme. Ses cheveux châtains doux comme de la soie étaient toujours remontés en chignon, sauf à l'heure du coucher, alors qu'elle les laissait tomber sur la peau blanche de ses épaules. Je me souviens du regard de mon père lorsqu'elle laissait tomber ses cheveux. Le mouvement de ses bras nus et l'étincelle qu'elle avait dans les yeux avaient un effet hypnotique que mon père savourait. Et je sais que lorsque la porte de leur chambre à coucher se refermait sur la nuit, ces deux êtres amoureux se fondaient l'un dans l'autre avec une passion à faire trembler le plus froid des coeurs.

De tous leurs enfants, je suis la seule avec les cheveux noirs de mon père. J'ai aussi ses yeux, grands et d'un noir tellement profond que l'on a de la difficulté à distinguer la prunelle. Toutes mes soeurs, sans exception, ressemblent à ma mère. Ce sont des blondes aux yeux bleus. Petites, comme elle.

Quand elle m'eut donné sa version des faits, je la serrai dans mes bras en embrassant ses doux cheveux. Je me suis dit qu'elle devait vivre un amour très spécial pour avoir attendu toutes ces années avec l'espoir et la conviction qu'elle ne reverrait mon père qu'une fois l'an.

Elle me dit qu'un jour je le reverrais moi aussi, sans pour autant me dire quand. Je la crus. Elle retourna ensuite à sa besogne, tout en conservant le sourire qu'elle avait toujours sur les lèvres. Tout en l'observant du coin de l'oeil, je m'en retournai à mes agrès de pêche que je rangeais dans un petit hangar à l'arrière de la maison.

En entrant, je vis mon grand-père qui était assis sur un vieux baril en bois. Il était occupé à réparer les mailles de mes filets de pêche aux harengs. Il s'arrêta momentanément pour me fixer avec son seul oeil, ayant perdu l'autre lorsqu'il était très jeune. Comme mon père, Benjamin était un grand homme malgré les années qui courbaient son dos. Pêcheur dès son jeune âge, il avait eu lui aussi une très grande famille. Douze filles et un seul garçon... mon père.

Je me souviens du chagrin de grand-père lorsqu'il avait appris que son unique fils avait disparu en mer et qu'il ne reviendrait plus. Lui aussi était demeuré à la côte, scrutant des yeux les eaux responsables de la tragédie. Je me souviens qu'il s'était arrêté devant moi avant de continuer son chemin pour la maison et qu'il m'avait serrée dans ses bras. C'est à ce moment qu'il m'avait dit qu'il verrait à ce que je connaisse ce noble métier de pêcheur comme il l'avait appris à mon père. J'avais senti sa peine comme une voix criant le chagrin qu'il éprouvait pour la perte de son fils... de mon père. Puis, il m'avait demandé de prendre soin de ma mère et de mes soeurs.

De sa position assise, il me fit signe de m'approcher de lui, tout en me tirant un petit banc à trois pattes que je plaçai tout près pour le regarder repriser les filets endommagés. Il m'impressionnait tellement cet homme! Il était habile dans tout ce qu'il touchait. Il connaissait tellement de choses! Que ce soit la pêche, l'agriculture, la forêt, rien ne semblait avoir de secrets pour lui. Mais ce qu'il connaissait le plus, c'était l'homme et la mer.

Issu de plusieurs générations de pêcheurs, il était considéré par plusieurs de ses semblables comme une véritable encyclopédie de la mer. Certains le surnommaient même le roi Neptune. À bien le regarder, il ressemblait à Neptune, même si je le savais être un personnage légendaire.

Sa barbe était blanche comme du lait, à l'exception de sa grosse moustache qui prenait des teintes d'or aux extrémités. Avec son couvre-oeil noir et sa casquette de marin de couleur foncée, il donnait vraiment l'apparence d'un sage homme.

Il avait acquis bien des connaissances de son épouse, enseignante à la petite école. D'ailleurs, c'est elle qui enseigne encore aujourd'hui. Mes soeurs passent pour être les chouchous de la classe. Et avec raison. Dès qu'il rencontra grand-mère, grand-père Benjamin insista pour qu'elle lui montre à lire et à écrire. Grand-père m'a toujours dit que l'instruction valait tous les trésors du monde. À le voir, je suis entièrement d'accord avec lui.

Contrairement à mes soeurs, je ne pouvais pas suivre la classe régulière. Je devais rester à la maison pour aider maman à préparer les repas et à faire les autres travaux de la maison. Mais le soir arrivé, lorsque mes soeurs étaient revenues de l'école, je me rendais chez grand-père Benjamin où grand-mère Léonie me faisait la classe. De cette façon, j'ai moi aussi de l'instruction tel que ma mère l'a toujours voulu.

Mon grand-père m'expliquait les rudiments de la réparation des filets de pêche lorsque je lui demandai s'il était au courant que ma mère sortait durant la nuit du quinze mai, toutes les années, pour se rendre sur la grève, à l'endroit où mon père avait l'habitude de ranger son petit bateau.

Il s'arrêta et me regarda longuement. Puis, il me dit que cela ne le surprenait point. Je lui demandai pourquoi et il me répondit que ma mère n'avait connu qu'un seul homme dans sa vie et que cet homme était mon père.

Il me confia aussi que mon père n'avait connu d'autres femmes que ma mère. Leur amour était unique et très profond. Ils s'étaient rencontrés dès leur jeune âge, à la petite école. Ils avaient partagé le même banc, les mêmes crayons ainsi que les mêmes cahiers. Ils étaient toujours ensemble. Ma mère connaissait bien les garçons puisqu'elle était la seule fille d'une famille de treize enfants. Elle avait douze frères et elle était la cadette de la famille. Il me dit que mon grand-père maternel avait été un de ses grands amis, en plus d'être un confrère de pêche et un voisin. Benjamin murmura qu'il savait que cette petite fille aux yeux bleus s'ajouterait à sa famille le jour où il l'aperçut alors qu'elle entrait dans la maison, accompagnée de mon père, un après-midi après la classe.

Benjamin m'avoua que le jour où mon père avait été porté disparu, il s'était promis qu'il ferait tout ce qui lui serait possible pour aider ma mère à élever ses enfants pour qu'elles deviennent toutes des personnes respectables dans notre petite communauté.

C'est à ce moment que je compris que mon grand-père, tout comme ma mère, n'avait jamais accepté la perte de son fils unique. Le reste de la journée se déroula à nous remémorer des souvenirs du temps où mon père était tout jeune. D'après Benjamin, mon père leur en faisait voir de toutes les couleurs. Il avait beau jeu puisque lui et grand-mère le protégeaient de ses grandes soeurs qui auraient bien aimé l'attraper à part. Toutes ces histoires me firent bien rire. À quelques reprises, Benjamin s'arrêta pour s'essuyer l'oeil du revers de sa main, lorsque les souvenirs devenaient plus précis dans sa tête.

Le soir venu, je m'étais réfugiée dans ma chambre et je revoyais tout ce qui s'était passé durant la journée. J'essayais d'analyser tout ce qui avait été dit par ma mère et mon grand-père Benjamin. Mais ce qui m'intriguait le plus, c'étaient les paroles de mon père à ma mère le soir de la tragédie. Il reviendrait la chercher le jour même où ma mère serait prête à laisser cette terre. Je me remémorais aussi ce que mon père lui avait dit à mon sujet. Elle m'assura que je le reverrais un jour moi aussi, sans me dire quand. Sur ces pensées intrigantes, je réussis à trouver le sommeil.

* * * * *

J'ai maintenant quarante-cinq ans. J'habite encore ici, à la maison, avec ma mère. Elle a grisonné rapidement au cours

184

des derniers cinq ans. Mais elle est toujours aussi belle, aussi généreuse. Grand-père et grand-mère sont toujours vivants et ils nous ont convaincues, ma mère et moi, de déménager avec eux dans leur maison, à moins de 150 mètres de la nôtre. De toute façon, toutes mes soeurs sont mariées et déménagées dans les grands centres où elles ont toutes un emploi et des marmots qui occupent pleinement leurs journées.

Ma mère n'a pas changé ses habitudes. Même si nous allons déménager chez mes grands-parents, elle fera les repas pour tout le monde, ainsi que le ménage, les conserves et le tricotage des bas de laine pour la longue saison blanche.

J'ai maintenant un gros bateau et un équipage composé uniquement d'hommes. Une autre saison de pêche au homard est déjà commencée. Malgré tous mes efforts, je ne peux m'empêcher de revivre la disparition de mon père, surtout que le quinze mai est encore une fois à notre porte.

Depuis deux ou trois jours, j'observe ma mère. De ce temps-ci, comme à toutes les années, elle semble anxieuse à l'approche de cette date. Elle est plus nerveuse et je ne sais pas vraiment pourquoi. Elle ressent certainement quelque chose.

Le quinze mai est encore une fois au rendez-vous. Chacun se couche comme d'habitude, mais moi, je ne trouve point le sommeil. J'attends. Vers une heure du matin, je décide d'aller marcher sur la grève. Le ciel est superbe. On voit clairement la lune, les étoiles et la mer. Sans allumer la lumière, j'enfile mon pantalon et le chandail de laine blanc que ma mère m'a tricoté durant l'hiver. C'est alors que j'entends les pas de ma mère devant ma porte de chambre. Je sais où elle se dirige. Je décide donc de la suivre.

Sans faire de bruit, je sors de ma chambre et me dirige vers l'escalier. Arrivée au palier, j'entrevois ma mère qui sort de la maison. Lentement et sans bruit, je descends l'escalier de chêne et je sors.

Au loin, je vois ma mère se diriger vers la grève. À ma grande surprise, je vois qu'elle est habillée de sa robe de noces qu'elle s'est confectionnée elle-même. Je ne comprends plus rien. Pourquoi s'être habillée ainsi? Je me dis qu'elle perd certainement la raison. Je me dépêche de la suivre, tout en gardant une certaine distance pour qu'elle ne puisse pas me voir ou m'entendre. Je suis très nerveuse.

Finalement, elle s'arrête et se retourne subitement. Mais j'ai eu le temps de me cacher derrière la carcasse d'un vieux doris qui se trouve à demi enfoui dans le sable. Elle scrute la côte de ses yeux et, ne trouvant rien de suspect, elle continue son chemin vers les eaux calmes de la mer. Une fois arrivée au bord de l'eau, elle s'agenouille et, de ses mains, caresse la surface miroitante comme si elle veut lui transmettre un message. Puis, elle se redresse et revient vers la grève où se trouve le cabestan de mon père. Elle s'approche et se place à l'arrière, puis elle se tourne vers la mer.

Je suis figée de peur. Ma mère reste immobile pendant quelques instants, puis elle se dirige vers l'avant du cabestan. Soudain, elle se met à marcher lentement vers la mer, comme si elle était hypnotisée. Elle avance et avance toujours plus près de l'eau. La traîne de sa robe nuptiale fait un sillon sur le sable, qui balaye les empreintes laissées par ses pieds nus. Lorsqu'elle arrive à l'eau, elle s'arrête. Puis elle lève les bras vers la mer comme si elle voyait quelqu'un. Est-il possible qu'elle pense vraiment voir mon père? Puis, à ma grande stupéfaction, elle entre dans l'eau. Elle marche sans jamais baisser les bras au fur que la mer l'engloutit dans ses flots.

Je ne peux plus demeurer immobile, sans rien faire. Je sors de ma cachette et me précipite derrière elle pour essayer de la sauver d'une noyade certaine. Mais elle est trop loin. Je sais que je ne pourrai jamais m'approcher d'elle à temps. Elle s'enfonce toujours et l'eau est rendue à ses épaules. Lorsque je me précipite à l'eau, je vois ma mère disparaître sous la surface de ce miroir gigantesque. La surface de l'eau est redevenue calme et les seules vagues que je vois sont celles que je fais à force de me débattre dans l'eau glacée pour essayer de rejoindre ma mère.

Puis je m'arrêtai. J'avais l'eau du golfe jusque sous le menton. Je ne voyais plus rien, sauf le reflet d'argent de la lune sur l'eau calme de la mer. Mon coeur était gonflé comme un ballon prêt à exploser. Mais qu'est-ce qui m'arrive? criai-je à gorge déployée. Je me suis mise à appeler ma mère tellement fort que la gorge me brûlait. La fraîcheur de l'eau qui avait pénétré mes vêtements commençait à me faire grelotter. Je décidai de m'en retourner vers la grève. Je pleurais à chaudes larmes sans pouvoir comprendre tout ce qui m'arrivait. Je voulais tellement me réveiller. Tout ceci ne pouvait être qu'un cauchemar. Et pourtant, tout était si réel autour de moi que je ne savais plus quoi penser.

Je sortis de l'eau salée à quatre pattes, à bout de forces. Je m'allongeai sur le sable, mes vêtements imbibés d'eau. J'ouvris les yeux pour ne voir que les milliers d'étoiles qui décoraient le firmament, comme des milliers d'anges qui m'observaient, là, couchée sur le sable. Je réalisai alors que tous ces événements ne pouvaient pas être le fruit de mon imagination. C'était impossible. J'avais trop froid pour que ce soit un rêve. Je voyais trop clairement la lune et les étoiles pour m'être imaginée tout ça.

Où était passée maman? Je ne comprenais plus. Je me levai debout et regardai autour de moi. Aucun signe de vie. Je me dirigeai vers le cabestan en me traînant les pieds, le dos courbé. En arrivant au cabestan, je m'écroulai sur celui-ci. Fatiguée, transie de froid à cause de mon linge mouillé, au désespoir, je décidai d'enlever mes vêtements pour pouvoir me réchauffer un peu. J'avais à peine enlevé mon chandail de laine lorsque j'entendis mon nom. Effrayée, je me demandais si je ne commençais pas à perdre l'esprit. C'est alors que j'entendis mon nom une autre fois. Après toutes ces années, je reconnus la voix de mon père. Lentement, je me tournai vers la mer.

Là, à quelque deux cents mètres de moi, j'aperçus le «pic-à-poc» rouge et blanc. Mon père était debout au centre et il me regardait. Il n'était pas seul. À ses côtés se trouvait ma mère, resplendissante et vêtue comme la dernière fois que je l'ai vue. Je m'approchai lentement de l'eau. Très lentement, parce que je ne croyais pas ce que je voyais. Devant moi, mon père et ma mère, vêtus de leurs plus beaux vêtements et enlacés, me souriaient. Ils étaient très beaux. Une lumière semblait émaner d'eux comme s'ils étaient venus du ciel. Puis mon père me parla.

Il me déclara qu'il était très heureux de me revoir et que je lui manquais énormément. Il me remercia d'avoir veillé sur ma mère et d'avoir sacrifié une partie de ma vie pour l'aider à élever mes soeurs. Il ajouta ensuite que le jour était maintenant arrivé pour que lui et maman soient réunis à nouveau, cette fois, pour l'éternité. Il m'affirma qu'ils seraient toujours à mes côtés et qu'ils veilleraient toujours sur moi. Il me promit que si je voulais les revoir, je n'avais qu'à revenir au même endroit tous les quinze mai. En touchant le cabestan de mes deux mains, je les reverrais à nouveau. Il me confirma ensuite qu'ils reviendraient me voir pour le reste de mes jours.

Puis, comme ils étaient apparus, ils disparurent en s'embrassant dans la nuit. Je me retrouvai seule sur cette plage devenue froide sans ma mère, sans mon père. Je m'en retournai où j'avais laissé tomber mon chandail de laine blanc. Envahie par la fatigue et la peine, j'étais bercée par le réconfort de savoir que ma mère et mon père étaient finalement réunis. Je m'accroupis sur le sable en fermant les yeux et pleurai à l'ombre du cabestan.

* * * * *

Réjean Roy
(Tracadie-Sheila)

La femme-objet

Papa était encore une fois en boisson. Il entra en tricolant, comme c'était maintenant la coutume. Il s'assit dans son fauteuil et ordonna à ma mère de lui apporter à manger. Celle-ci s'empressa d'obéir aux ordres de mon père sans dire un mot. Après s'être rassassié, il se tourna vers maman et lui demanda ce qu'elle avait fait pendant la journée. Maman, un peu gênée, répondit:

-     Pas grand-chose. J'ai fait du ménage dans la maison et j'ai gardé les enfants.

Papa prit un air sombre et menaçant. Il lui cria alors:

-     Ma christ de menteuse! T'es encore allé fourrer avec tous les hommes des environs. T'es rien qu'une christ de putain.

Maman rougit violemment et nous fit signe de nous sauver au grenier. Mes frères obéirent, mais moi, je préférai me sauver au salon.

D'une fente dans le mur, je vis papa ramasser une bûche de bois qui gisait près du poêle et la lancer à maman. Celle-ci, qui avait la tête baissée, ne l'avait pas vue venir et n'avait pu se protéger le visage. Elle reçut la bûche en pleine face et une coupure de quelques centimètres apparut sur sa joue gauche.

Maman se mit à pleurer, non pas parce que papa lui avait lancé une bûche, mais plutôt parce qu'il l'avait humiliée

193

encore une fois. Elle porta ses mains à son visage et se sauva en courant dans la chambre. Papa resta assis dans son fauteuil et continua à l'insulter de plus belle.

- C'est ça, christ ton camp dans la chambre. T'as besoin de brailler pour que je te pardonne, parce que tu ne le mérites pas.

Il se tut soudain et un silence de mort s'empara de toute la maisonnée. Et je me demandai si maman allait vivre encore longtemps. Un bruit sourd de sanglots brisait de temps en temps le silence, mais mon père ne s'en rendit même pas compte. Il se leva brusquement du fauteuil et se dirigea vers la chambre à coucher. Je me ruai alors vers le trou qui gisait dans le mur adjacent aux deux pièces et regardai le spectacle.

Maman se tenait debout près de la fenêtre lorsque mon père entra. Il s'avança droit vers elle, lui saisit le bras en le tordant un peu et lui dit brusquement:

- Déshabille-toi et viens te coucher.

Maman baissa la tête et répondit calmement:

- Ça ne me tente pas Arthur.

Papa rougit violemment et, d'un fameux crochet de droite, il fit tomber maman par terre. Il la releva immédiatement, la poussa dans le lit et se rua sur elle comme un animal sauvage. Maman tenta désespérément de lutter contre l'agresseur, mais ce fut peine perdue.

J'entendis sa blouse déchirer alors que la bouche gourmande de papa s'emparait des mamelons. Avec une force incroyable, il réussit également à déchirer les pantalons de maman. Maman était au désespoir. Elle luttait toujours. Je voyais ses ongles qui venaient griffer le dos de papa alors que celui-ci reposait toujours sur elle. Comme c'était affreux!

J'aurais voulu crier. J'aurais voulu dire à papa ce que je pensais au fond de moi-même, mais je n'osais pas bouger. La scène qui défilait devant mes yeux était terrifiante. Heureusement, j'étais le seul à en être témoin.

Papa réussit alors à dévêtir complètement ma mère. Il sortit alors maladroitement son sexe et posséda ma mère violemment. Lors de la pénétration, maman poussa un long cri strident. Cette plainte reflétait bien son impuissance face à l'alcoolisme. C'était un cri de désespoir, de tyrannie!

Elle abandonna toute volonté de lutter, car elle savait très bien que c'était peine perdue. Il fallait donc subir cette relation sexuelle, si écoeurante soit-elle, puisque c'était la seule façon de se débarrasser de son mari. Oui, il tomberait sans doute endormi immédiatement après s'être rassasié.

Je voyais le visage de maman qui était crispé par la douleur. Ses yeux à demi fermés étaient pleins de larmes. Ses joues étaient blêmes. Ses lèvres, elles, étaient démesurément piquées au vif tellement elle se les avait mordues pour ne pas crier.

Maman était un véritable martyr! Elle subissait les assauts de mon père sans le moindre gémissement. Elle voulait en finir un point c'est tout . Quant à mon père, le mouvement de ses fesses bestiales s'était davantage accéléré pour se figer dans un soupir de soulagement. Il tomba à côté de ma mère et ne prit même pas le temps de rentrer son sexe avant de s'endormir.

Maman se leva avec peine. Son martyre était terminé puisque papa avait satisfait ses instincts de bête enragée. Je me demandais sérieusement si elle était encore en mesure d'endurer ce calvaire bien longtemps. Pourtant, je savais qu'elle n'aurait jamais la force de le quitter.

Elle s'habilla, se coiffa convenablement, essuya ses larmes et sortit de la chambre en prenant grand soin de demeurer silencieuse. Je sortis du salon et allai la rejoindre. En me voyant, elle comprit que j'avais tout vu. Elle me regarda droit dans les yeux et me dit tout simplement:

\-   C'est comme ça que vous avez tous été conçus.

Je baissai les yeux, songeur, et réalisai toute la portée de cette phrase. Chaque viol amenait un autre enfant. Et c'est à cet instant précis que je compris pourquoi nous étions aussi malheureux.

* * * * *

Le tombeau des mal-aimés.

J'en avais assez d'endurer un père alcoolique et drogué. Je ne pouvais tout simplement plus le considérer comme un père, mais tout juste comme un étranger.

Alors qu'il arriva à nouveau en boisson, je ne pus me contenir et sortis de la maison familiale en courant. Mes frères et soeurs, eux, se réfugièrent au deuxième étage car ils ne voulaient pas être la proie de père qui était trop soûl pour savoir ce qu'il faisait.

Pour ma part, je m'enfuis dans le petit sentier menant à la forêt. C'est là que je me réfugiais chaque fois que j'avais envie de pleurer. C'était ma cachette et je ne désirais pas la partager avec les autres.

À peine avais-je pénétré dans la forêt que je ralentis le pas. La nature semblait avoir pris un air triste pour la circonstance. Les trembles restaient immobiles, comme figés par la peine qui m'accablait. Les sapins, hébétés de me voir là, pointaient leurs aiguilles en ma direction pour indiquer à tous que je me trouvais là. Les champignons, eux, inclinaient la tête tellement ils avaient de la peine pour moi. Et la nature elle-même, sous son air de mascarade, se préparait au pire.

Je marchais lentement, la tête basse, les bras ballants et les yeux piqués au vif. Je ne comprenais pas ce qui poussait mon père à boire comme il le faisait. Il n'y avait que sa bouteille de bière qui comptait pour lui. Ni sa femme, ni ses enfants ne rivalisaient avec sa chère bouteille de bière. C'était atroce!

Nous l'aimions tous pourtant! Alors pourquoi se réfugier dans la boisson? Lorsqu'il arrivait de son travail, il se changeait, se lavait et partait aussitôt pour la taverne. C'était comme s'il ne vivait que pour ça, et pourtant...

Je ralentis davantage ma marche, car je n'en pouvais plus. Tout ce supplice qui avait été le nôtre pendant des années s'aggravait de jour en jour et personne n'y pouvait rien. Certes, on avait tenté de raisonner père, mais en vain. Selon lui, il n'avait pas de problème de boisson puisqu'il ne buvait pas tous les jours. C'est vrai, mais il buvait tous les deux jours, c'est aussi pire.

J'atteignis enfin mon but. Une cabane dans les arbres, qui avait été construite pas mon oncle Édouard, me servait de repère. De ce nid haut placé, je pouvais tout voir, tout examiner. C'est de là que je voyais père arriver le plus souvent. Il descendait de sa voiture avec peine, s'avançait vers le perron en tricolant, montait avec peine les marches et tombait à quelques reprises. Mère venait alors à sa rencontre, lui prenait le bras et l'aidait à monter. Mais malgré sa politesse, elle n'avait pour remerciement qu'un juron mal placé. Je me sentais alors tout drôle, comme si cette scène, qui était pourtant chose courante pour moi, me détruisait le coeur à chaque fois.

Mais de ce repère haut placé, je pouvais également suivre les allées et venues de mes grands-parents qui demeuraient tout près de chez nous. Je voyais pépère se rendre quotidiennement à la grange pour nourrir son chien. En revenant à la maison, il regardait vers notre demeure en signe de dépit. Il était triste, je le savais trop bien, car il savait que nous étions dans la misère et il ne pouvait rien faire pour nous aider.

Quant à mémère, elle se rendait plusieurs fois par jour dans son jardin pour voir comment progressaient ses légumes et pour les asperger d'eau fraîche. Pendant la saison estivale, c'était ce qu'elle aimait le plus puisque ceci lui permettait de prendre un peu de soleil et d'air frais.

Mais ce repère, c'était surtout un endroit de méditation. C'est à cet endroit que je venais pleurer mes peines et mes ennuis puisque je ne voulais nullement que l'on sache que j'avais honte de mon père. Je venais régulièrement m'asseoir ici, la tête entre les mains, et je vidais alors mon coeur débordant de larmes. J'en avais assez de cette vie atroce que nous avait offerte la Providence. On crevait de faim. On gelait pendant l'hiver. On était la risée du village parce que papa ne savait rien faire d'autres que boire.

J'atteignis enfin la cabane. Mais au lieu de m'arrêter aux pieds de celle-ci, je me dirigeai tout droit vers un arbre creux. Celui-ci, malgré son infirmité, se tenait toujours debout et défiait quiconque de le faire tomber.

À l'embouchure du trou béant planté à la base de l'arbre se trouvait un énorme tas de brindilles, de feuilles mortes et de morceaux de bois mort. Alors que je m'accroupis pour déployer tout ce qui bouchait l'entrée de l'arbre, je m'assurai que personne ne m'avait suivi.

Du coin de l'oeil, je scrutai l'horizon afin de m'assurer qu'il n'y avait rien d'anormal. Mes oreilles, à l'affût de tout bruit, faisaient un effort ultime afin de s'assurer que personne n'était dans les environs.

Heureux de savoir que j'étais seul, je plongeai la main dans le creux de l'arbre et en sortis une corde, des morceaux de carton et une plume. Incertain, je me dirigeai alors vers la cabane.

Je gravis rapidement les marches de l'échelle, qui reliait le sol à ma cachette et la retirai ensuite afin que nul ne puisse monter.

* * * * *

Mon oncle Édouard avait construit cette cabane spécialement pour nous, car il savait très bien que ça n'allait pas du tout chez nous. Il m'avait même dit, lorsqu'il finit la cabane, que c'était notre cachette. C'était gentil de sa part car il était le seul qui montrait un peu d'attention à notre égard.

Il lui avait fallu près de deux semaines pour construire notre petite cabane. Il avait commencé par joindre quatre arbres formant un carré avec des troncs d'arbres et les avait solidement cloués avec de gros clous. Ensuite, il avait monté le plancher. Celui-ci, qui était fait de grosses planches épaisses, était fort solide et résistait à nos assauts les plus féroces.

La base de la cabane terminée, mon oncle s'empressa de poser trois rampes de chaque côté de la cabane afin de s'assurer que l'on ne tombe pas en bas. Alors qu'il terminait de poser les troncs d'arbres qui servaient de rampes, une idée germa en lui. Il s'était alors mis à couper une multitude de branches de sapin et les avait empilées dans un tas. Il nous avait alors envoyés chez nous pour manger et nous avait donné rendez-vous un peu plus tard.

Lorsque nous arrivâmes à nouveau près de la cabane, chose curieuse, celle-ci n'était plus là. Elle s'était volatilisée par je ne sais quelle magie. C'est alors que nous nous aperçûmes que notre cabane était couverte de branches de sapins clouées à même les rampes. Mon oncle en avait même clouées au plancher afin que l'on ne voit nullement la cabane. C'était vraiment une idée géniale!

Il avait alors ouvert la porte qui gisait au milieu du plancher, descendit une échelle construite en bois rond et était redescendu, fier de lui, heureux de nous faire plaisir.

Alors que mes autres frères montaient dans la cabane, je m'approchai d'oncle Édouard et le serrai fortement contre moi.

-    Merci mon oncle, lui dis-je avec toute la sincérité du monde.

Il se retourna vers moi, touché de me voir soudain si triste, et me dit à voix basse:

-    Quand tu seras triste, tu n'auras qu'à venir te cacher dans ta cabane. Tu pourras être enfin tranquille, fit-il en me glissant un coup d'oeil complice!

* * * * *

Je me trouvais seul au centre même de ma cabane et je regardais inlassablement la corde que j'avais ramassée dans le tronc d'arbre. Mon coeur bondissait en prenant ma poitrine pour tremplin et retombait ensuite dans un ronronnement infernal. J'étais tellement tendu que je pouvais sentir battre mon pouls. C'était une sensation fort déplaisante.

Je m'étais résigné à m'enlever la vie, car tout en ce monde me semblait qu'injustice et cruauté. Mon père ne m'avait jamais aimé et ça se voyait par les propos désobligeants qu'il tenait à mon égard. Quant à ma mère, elle acceptait de voir mon père en boisson nous insulter et nous blesser. Elle acceptait également de voir père la battre, lui crier des bêtises et abuser d'elle. Que c'était horrible!

Je ne pouvais tout simplement pas accepter de me faire ridiculiser par ce père alcoolique. Il prenait plaisir à me voler mon argent pour aller boire à la taverne et se moquait littéralement de moi en me disant que j'étais comme ma tante Francine, c'est-à-dire, un être hypocrite et égoïste.

Ça me faisait mal de me sentir ainsi. Depuis ma plus tendre enfance, j'aimais mon père. Mais au fil des ans, cet amour s'était transformé en une haine atroce. Cette haine qui habitait en moi, je la destinais à ce père sans scrupules qui avait brisé l'enfance de ses enfants et la vie de sa femme.

J'en étais venu à le répugner. Il ne m'inspirait que pitié et ce même s'il ne méritait pas que l'on s'attarde à le comprendre.

Dans mon désespoir, je saisis la corde et fis un noeud coulant. J'attachai ensuite une des extrémités à une grosse branche de tremble qui pendait à côté de la cabane. J'ouvris alors le trou laissé par la corde de façon à ce que je puisse être en mesure de m'y enfoncer la tête. Je voulais m'enlever la vie et la pendaison me semblait la solution idéale.

Puis, dans un geste désespéré de ma part, je pris les bouts de carton que j'avais déposés sur un des bancs qui gisait dans un coin et les accrochai un peu partout sur les murs de la cabane.

Sur ces minuscules cartons multicolores, on pouvait lire:

-     Vous ne m'aimez pas, alors j'ai décidé de m'en aller. Je vous aime tous, mais je serai plus heureux au ciel. Adieu, je ne peux plus vivre en ce monde. J'ai trop mal, alors je vous dis adieu. Ne pleurez pas, je n'en vaux pas la peine.

Après avoir inséré ces cartons dans les murs, je scrutai avec amertume l'intérieur de ma cabane. Je lisais intérieurement les messages que j'avais laissés à l'intention de ma famille. Une sensation indescriptible s'empara alors de moi. C'était de la tristesse, mais une tristesse empreinte de jalousie envers ceux qui avaient eu la chance de vivre une enfance heureuse.

-     Pourquoi n'ai-je pas eu la chance d'avoir de bons parents? me disais-je à voix basse. Et de mes yeux brumeux s'évadèrent des flots torrentiels de larmes.

Ceux-ci étaient sortis de mes prunelles sans que je ne puisse les arrêter. Ils reflétaient bien ma tristesse, mon dépit et ma révolte envers cette vie qui n'avait été pour moi que cauchemar et calvaire.

Je m'approchai alors de cette corde qui se voulait la fin de mon désespoir. Je la saisis alors à deux mains et me mis le noeud coulant autour du cou. J'étais prêt à me donner la mort puisque la vie n'avait plus aucun sens pour moi.

Pourtant, quelque chose m'empêchait de réaliser cette fuite si facile et pourtant si difficile. Je revis alors mes grands-parents que j'aimais tant.

Le visage de ma grand-mère me revint à l'esprit. Je la voyais jolie, malgré les rides sillonnant son visage usé par le temps. Ses yeux pleins de jeunesse demeuraient aimables envers moi. Elle avait toujours su me donner l'amour dont j'avais besoin et qui m'avait donné la force de continuer à vivre dans ce monde si cruel.

Mon grand-père, lui, s'était toujours occupé à parfaire mon caractère en me faisant travailler dans ses jardins et sur sa terre. C'était lui qui m'avait montré comment travailler la terre et qui m'avait donné le goût du travail. J'étais fier de lui.

Je revis également tous mes frères et mes soeurs. Ce qu'ils avaient été malheureux depuis leur naissance. Ils avaient subi les atrocités de l'alcoolisme. Ils avaient également dû endurer les coups infligés par mon père lorsqu'il rentrait en boisson.

Pourtant, personne n'avait jamais oser dire quoi que ce soit à père. Ils s'étaient toujours tus, gardant au fond d'eux-mêmes les insultes si minutieusement choisies pour lui. Ils s'étaient alors repliés sur eux-mêmes, tout comme moi d'ailleurs, et avaient enduré ce calvaire que père leur avait destiné.

Il avait tout fait pour ruiner notre vie. Il nous insultait à tout bout de champ. Il nous battait avec tous objets se trouvant à sa portée. Il nous avait reniés puisqu'il avait choisi la bouteille comme amour, maîtresse et amante.

Je le voyais entrer dans la maison en tricolant, s'avancer vers ma mère et la gifler. Il la couvrait d'insultes et lui criait à tue-tête:

-       Donne-moi à manger ma christ. Enweille, plus vite que ça ma tabernacle.

Et maman, sans rien dire, se pliait aux ordres de père.

Pendant qu'il mangeait, il se tournait alors vers mes frères et soeurs, qui s'étaient retirés dans l'escalier ou sous la table, et leur lançait:

-       Allez-vous en en haut mes tabernacles. Il saisit le chaudron et le lança en l'air dans leur direction.

C'était cette rudesse qui me torturait. C'étaient ces actes démesurément sauvages qui me détruisaient. Je ne pouvais plus faire face à ce monstre cruel qu'est l'alcoolisme.

Je m'étais rapproché du bord de la cabane et m'assis sur la rampe tout en gardant la tête enfoncée dans le noeud coulant. Une multitude de visages se bousculaient dans ma tête. Je revoyais tous ceux que j'aimais. Mais je voyais également cet écoeurant de soûlon qui ne savait rien faire d'autres que boire de la bière.

Cette vision de mon père éclipsait tous mes bons souvenirs. Ma mine s'assombrit davantage et je plongeai dans une amertume sans cesse grandissante. Je le détestais. Je ne voulais plus le voir. Je ne désirais plus vivre ce supplice qui me poursuivait.

Hors de moi, je me laissai tomber dans le vide. Le noeud se referma sur mon cou. La corde se raidit. Et je sombrai dans une inconscience absolue. J'étais étouffé. J'avais pendu mes peines. Une tristesse mortelle s'empara de moi.

* * * * *

J'ouvris les yeux avec peine. Je ne voyais qu'une multitude d'étoiles multicolores qui gambadaient autour de ma tête, semblables à un manège.

Je me trouvais là, la tête à l'envers touchant le sol. Mon corps était renversé dans une position irrégulière. Je sentais encore la corde m'étouffer, mais la tension était devenue moins forte. Je me rendis alors compte que la branche sur laquelle j'avais attaché le noeud avait tout simplement lâché sous mon poids.

J'étais tombé du haut de la cabane. Je m'étais effondré sur un tas d'arbustes qui ne voulaient pas lâcher prise et qui me tenaient dans cette position fort inconfortable.

Ma tête, elle, avait sombré dans le néant lorsqu'elle a frappé le sol dur comme le roc. Mes pieds, pris entre des branches d'arbustes, hurlaient de douleur. Surtout que la pesanteur de mon corps exerçait sur eux une tension atroce! C'était horrible!

Mais ce qui était pire, c'est que j'avais râté mon coup. Je voulais mourir. Je le désirais de toutes mes forces. Mais cette branche maudite avait lâché prise!

J'avais même franchi le stade le plus pénible du suicide. Ce stade de questionnement et de mise au point, normalement, invite les gens à abandonner leur tentative.

Pour moi, ce stade n'avait pas changé grand-chose. Au contraire, il m'avait davantage résolu à me suicider puisque tout ce qui me revenait à l'esprit était le visage de l'alcoolisme. C'était lui qui me tourmentait, qui me maltraitait, qui me faisait détester la vie. C'était le seul responsable de ma déchéance mentale et il ne s'en doutait même pas.

Un sentiment indéfinissable s'empara alors de moi. C'était un mélange de culpabilité, de tristesse infinie et de dépit. Cette sensation me plongea dans un état d'esprit lugubre.

Je m'en voulais d'avoir tenté de m'enlever la vie. Et pourtant, je me reprochais d'avoir failli à la tâche. Je me reprochais également d'avoir été un lâche. Pourtant, je ne l'étais pas puisque j'avais eu la force de me jeter dans le vide. Bref, je me reprochais tout.

Par contre, j'étais heureux d'avoir râté ma tentative de suicide puisque mes frères n'auraient pas à subir le deuil. Et mes grands-parents que j'aimais tant n'auraient pas à pleurer ma mort.

Je repris alors mes sens. Puisque ma tentative n'avait pas réussi, alors c'était la preuve que le ciel m'avait donné l'ordre de vivre. Avec une force indéfinissable, je me dégageai de mes liens et me remis sur pieds. J'enlevai ensuite la corde qui pendait toujours à mon cou et la jetai de toutes mes forces loin de moi.

J'escaladai ensuite un des arbres se trouvant à proximité de ma cachette et grimpai à l'intérieur de la cabane. Avec rage, je déchirai les morceaux de carton sur lesquels se dressait une écriture cursive inspirée par le diable. Je sortis alors une allumette et fis tout brûler afin que personne ne puisse deviner ce qui venait de se passer.

Je m'assis alors sur un des bancs de la cabane et enfouis mon visage entre mes mains. Je déversai alors des flots torrentiels qui reflétaient bien toutes ces peines, toute cette lâcheté et toute cette culpabilité qui m'habitaient.

Plus tard, je me promis de m'en sortir, de foncer, de marcher la tête haute sur les sentiers de la vie. Et je me promis de ne plus jamais côtoyer le tombeau des mal-aimés...

* * * * *

Raymonde Savoie
(Caraquet)

Premier amour

Rien ne va ce matin. La tête me tourne. J'ai mal dormi.

- Quelqu'un a-t-il vu mes gants? Mon bonnet? Vite, aidez-moi quelqu'un. Le taxi m'attend à la porte.

Oh! Pourquoi faut-il qu'il tombe cette neige fine et poudreuse! Nous sommes bien le 23 mars, m'impatientai-je.

- As-tu regardé dans la laveuse, demande maman. Je les ai vu traîner là hier soir.

Et ils sont bien là, dans la laveuse, sur un tas de linge sale, attendant le prochain jour de lessive. Je les fourre dans mon sac et m'engouffre en courant dans le magasin adjacent à la maison, cette sortie étant la plus courte pour me rendre au taxi. Mais, au milieu du couloir trône un ballot de câble dont un des bouts dépasse et traîne sur le plancher. Je m'y accroche les pieds et me voilà allongée face contre terre à cinq pieds de la porte. Un juron m'échappe et j'entends papa qui tonne derrière moi:

- Nigaude! Regarde où tu mets les pieds!

Enfin, bien assise sur le siège arrière du taxi qui démarre, j'entends un sifflement. Armand a beau accélérer, les roues tournent dans la neige et l'auto n'avance pas d'un pouce.

- Les jeunes, il va falloir pousser si vous voulez que l'on sorte de là, nous dit-il.

- Bon, il ne manque plus que cela, marmonnai-je.

On finit tout de même par se rendre à l'école et nous grelottons en rang près de la porte pendant dix minutes. Il faut attendre le son de la cloche pour entrer. Les garçons sont en rang à droite et les filles à gauche. J'ai quinze ans et je suis en dixième année mais, en cet instant, je me sens comme un bébé qui attend la permission de sa mère pour entrer. Je dois me raisonner pour ne pas exploser.

- Paula, tu sais bien que les filles se doivent d'être polies, me répétai-je durant ces longues minutes.

Voilà la cloche! La porte s'ouvre sur mademoiselle Lina, avec son air de vieille fille frustrée, raide, pareille chaque matin. La journée commence avec le même rituel sacré, jour après jour. Ce sera d'abord la prière: une sorte de longue lamentation et de litanie qui dure quinze minutes. Puis, c'est l'appel nominal. Ensuite, dix minutes d'exercices physiques, surtout des étirements. La période de chant suit. Des cantiques, évidemment! On se croirait à l'église. Vient ensuite la leçon de religion. Nous avons droit à un sermon digne du plus grand prédicateur. Je suis convaincue que mademoiselle Lina a raté sa vocation!

La première heure de la journée est la seule où nous la voyons à l'avant de la classe. Le sermon fini, elle va s'asseoir à l'arrière et là ce sont les élèves qui prennent la classe en main.

C'est la première fois que je déteste mon institutrice et que l'école me dégoûte. Je me demande si on peut vraiment appeler cela une école? Pour moi, ce n'est que du bourrage de crâne. Elle envoie une élève écrire des notes au tableau noir. Il faut les transcrire dans nos cahiers et ces notes doivent être apprises par coeur. Moi qui a l'habitude de raisonner pour arriver à la compréhension, j'en perds mon latin.

À mon humble point de vue, c'est l'institutrice la plus nulle de la terre. Mais dans le village, son père est un homme haut placé et sa mère est institutrice. Alors tout le monde la respecte sans se poser de questions. Et on la garde année après année, compétente ou non. Cependant, pour être honnête, je dois admettre qu'il y a bien un sujet dans lequel elle excelle. C'est en histoire. Sa façon de lire les récits des grandes guerres et ses ajouts d'anecdotes et de commentaires me plaisent. Ces sujets m'accrochent facilement puisque la géographie et l'histoire m'ont toujours fascinée.

Lentement, mais sûrement, les heures s'égrènent et c'est la récréation de l'après-midi. Tous les élèves sont nerveux aujourd'hui. C'est le mercredi de la semaine sainte. Demain débutent les vacances de Pâques. Et immédiatement après la récréation, nous recevrons nos bulletins trimestriels.

Nous sommes trente-neuf élèves en dixième année. Les bulletins sont distribués en commençant par la plus haute moyenne. Jusqu'en neuvième année, j'ai toujours conservé une note de plus de 90%, ce qui me place parmi les trois premières de classe.

Aujourd'hui, les noms défilent. Première, Denise; deuxième, Yolande; troisième, Émilie. Au dix-neuvième rang, je ne peux contrôler mes tremblements. Mais où suis-je donc?

Mademoiselle Lina a dû m'oublier. Vingtième, Marguerite; vingt et unième, Octave; vingt-deuxième, Livain; vingt-troisième, Aline. Je pousse un soupir de désespoir. Je n'entends plus rien. Le dernier trimestre défile devant mes yeux. Alors que mademoiselle Lina est assise à l'arrière de la classe, elle ne peut voir ce qu'il y a sur nos pupitres. En autant que nous gardions la tête baissée sans parler, elle ne s'occupe absolument pas de nous.

Aline a une cousine qui demeure à Montréal. Elle lui envoie des photoromans et des magazines d'artistes. Chaque matin, elle nous en passe trois ou quatre que nous insérons dans nos livres d'histoire ou de physique qui ont le même format. Nous pouvons donc les lire à longueur de journée sans être le moins du monde importunées par l'institutrice.

Comme dans un rêve, j'entends «Trente-huitième, Paula. Moyenne, 23,1!» C'est impossible! Il y a sûrement une erreur! Jamais, mais jamais, je n'ai obtenu moins de 90 de moyenne! Catastrophe! Je m'énerve! Je tremble de plus belle! Je bouillonne de rage! Comme je déteste cette vieille fille frustrée! Même les religieuses qui m'enseignaient en 8e et en 9e année, je les adorais! Quelle différence entre mademoiselle Lina et mes autres institutrices! Même madame Richard qui était extrêmement sévère, je l'aimais bien. Mais cette Lina, ah, quelle grue! Je la déteste! Je la déteste! Je la déteste!

Ma décision est prise. À quatre heures, quand la cloche sonne, mon sac est plein. J'ai les bras chargés de tous mes effets. En passant la porte, j'entends cette vieille chipie m'interpeller.

- Mon Dieu, Paula, pars-tu pour la lune?

- Si ça peut m'éloigner de toi, vieille fille enragée, je le ferai volontiers! répliquai-je du tac au tac. Et en pleurant de rage, je lui claque la porte au nez.

Dans le taxi, personne ne souffle mot. On semble respecter ma peine. Je finis par me calmer un peu. Soudain, je réalise que seulement trois kilomètres me séparent de la maison. Comment faire face à mes parents? Qu'ai-je donc fait? Qu'est-ce qui m'attend maintenant? Comment ai-je pu être aussi grossière avec une institutrice? Et puis...

Le taxi s'arrête. Je me faufile par la porte arrière. Je monte directement à ma chambre. Je me sens honteuse et désespérée. Pour plus d'une heure, les larmes coulent à flots.

À l'heure du souper, maman m'y découvre assise par terre près du lit, les yeux brûlants et le visage gonflé par les larmes. Contrairement à son habitude, maman s'assoit sur le bord du lit, me masse les épaules et m'encourage à lui raconter mon histoire. Elle m'écoute jusqu'au bout. Puis, elle me relève, me serre très fort dans ses bras, me tapote légèrement l'épaule et me dit:

- Bon, maintenant, il faut affronter ton père.

Nous descendons l'escalier et, toujours enlacées, nous nous dirigeons vers l'atelier de cordonnerie de papa. C'est là qu'il se retire toujours après le souper. Il en profite pour griller une cigarette. Pour lui, une cigarette, c'est une sorte de dessert après le repas.

J'aperçois papa, perdu dans un nuage de fumée, l'enclume entre ses genoux, prêt à commencer le travail sitôt sa cigarette finie. J'essaie de parler, mais aucun son ne franchit ma gorge étranglée par les sanglots qui recommencent de plus belle. Il relève un de ses gros sourcils noirs et, me regardant par-dessus ses lunettes, il dit presque dans un soupir:

-    Bon, qu'est-ce qu'il y a?

Comme ni l'une ni l'autre ne répond, il s'adresse à maman, mais sa voix s'étrangle. Dans un murmure, il dit:

-    A-t-elle fait une cochonnerie? Ce qui signifiait bien sûr «Serait-elle enceinte?»

-    Alphonse! s'écrie maman. Tu parles de ta fille.

-    Pis! réplique-t-il sans oser lever les yeux. C'est pas la sainte Viarge, ça s'rait un miracle.

Maman lui raconte toute l'histoire. Quand elle eut fini, il pousse un soupir. Un long silence s'ensuit. Finalement, il me regarde et, d'un ton sans réplique, il me dit:

-    Bon, si tu ne veux plus aller à l'école, ne t'attends surtout pas à ce que je te fasse vivre. Tu devras te trouver du travail et vite. Ça presse!

J'articule finalement un «Oui, papa!» et je retourne à ma chambre sans souper. Je pleure une bonne partie de la soirée et de la nuit.

À deux heures du matin, papa, exaspéré de m'entendre sangloter, se présente à la porte et m'ordonne le silence.

-       Je ne veux plus t'entendre, hurle-t-il plus qu'il ne parle. C'est fait! c'est fait! Tes larmes et tes enfantillages n'y changeront rien! Couche-toi pis dors. Laisse les autres dormir en paix!

Craignant sa colère, je n'ai pas le choix. Je dors quelques heures. Le lendemain, je ne peux avaler une seule bouchée et je reste enfermée dans ma chambre. Je suis toute étonnée de voir maman m'offrir autant de compassion. Lorsque je lui en fais la remarque, elle me dit:

-       Tu sais, ma fille, quand on n'a pas d'instruction, le seul métier qui s'offre aux filles est celui de servante. Moi aussi j'ai dû abandonner l'école à onze ans. Mais moi, j'y étais forcée. Ma famille avait besoin de mon salaire pour faire vivre la nombreuse marmaille. Alors, comme tu vois, je sais ce qui t'attend mon enfant. Et je ne peux m'empêcher de me sentir triste.

Deux jours plus tard, c'est Pâques, fête de Jésus ressuscité. Avec quelle ferveur j'implore le Seigneur de me venir en aide. Le plus beau cadeau qu'il pourrait me faire serait peut-être de me donner un bon mari qui me délivrerait. Je sens que je serais prête à faire ses quatre volontés, si ça m'arrivait. Mais qui pourrait bien vouloir de moi? Me marierai-je un jour? Avec qui? Autant de questions sans réponse.

Le lundi matin, alors que je suis toujours enfermée sur moi-même dans ma chambre, mon frère Laurent vient me dire que papa désire me voir. Je descends l'escalier en traînant les pieds. Je suis surprise de voir mon parrain, oncle Georges, discuter avec papa. M'approchant, je découvre qu'ils discutent des conditions de mon séjour chez lui.

-       Vous lui donnerez ce que vous pourrez comme salaire, dit papa. Mais il y a une condition auquel vous ne devrez pas déroger. Elle ne doit pas sortir seule plus tard que vingt heures le soir. Et pas trop souvent non plus, ajoute-t-il.

-       D'accord! répond parrain. D'ailleurs, avec tout le travail qui l'attend, la pauvre, je ne crois pas qu'elle en aura le temps ni le goût.

Je n'ai donc pas le choix. Je fais mes bagages et, la mort dans l'âme, je suis parrain Georges à la ferme des Robidoux.

À mon arrivée, grand-mère Gauvin m'accueille. Elle est venue assister tante Mélodia pour l'accouchement de son treizième enfant. Elle m'explique qu'elle restera encore deux jours avec nous et qu'elle me montrera ce que j'aurai à faire dans cette grande maison de trente-six pieds carrés et de deux étages et demi. En plus des treize enfants, de tante Mélodia et de parrain Georges, la maisonnée comprend aussi les parents de parrain et deux aides-fermiers. Ça fait en tout dix-neuf personnes à nourrir et à blanchir, en plus de moi-même et de grand-mère Gauvin.

Tous les matins, je me lève à cinq heures et je boulange un grand paquet de farine, le pain familial pour la journée. Puis, c'est le déjeuner. Ensuite, je prépare sept des enfants pour l'école, sans oublier les boîtes à lunch pour le repas du midi. Seul Jérémie vient dîner à la maison puisqu'il a une bicyclette neuve. Les plus grands partis, il faut faire la lessive, voir au ménage et préparer le dîner pour douze personnes.

Grand-maman Robidoux s'occupe des enfants qui ne vont pas à l'école. Elle m'aide parfois à essuyer la vaisselle. Elle se charge aussi de la pâtisserie et des desserts pour les repas.

Après le dîner, c'est le lavage des planchers, le repassage et il faut faire des biscuits chauds pour le souper. Sinon, des vingt pains cuits la veille, il ne restera plus qu'une croûte pour la collation du soir.

Le souper terminé, il faut faire du reprisage. Puis, il faut préparer les enfants pour le coucher. Dans une aussi grande famille, on ne parle pas de l'heure du bain, mais des heures de baignades. Les plus jeunes se couchent vers huit heures. Ceux âgés de sept à douze ans se couchent vers huit heures trente et les deux aînés vers neuf heures.

Comme je n'ai pas l'habitude de ces durs travaux, dès le deuxième jour, j'ai des ampoules aux pieds. Quand je pose enfin la tête sur l'oreiller, j'ai plus envie de pleurer que de dormir. La fatigue finit pourtant par avoir raison de mon ennui et de ma résistance. Je m'endors d'un sommeil si court. Lorsque parrain me réveille à cinq heures le lendemain, il me semble ne pas avoir dormi plus de quelques minutes. Hélas! J'ai bien eu mes sept heures de sommeil et il faut tout recommencer.

Durant les trois premières semaines ici, je n'ai d'autres loisirs que d'assister à la messe le deuxième dimanche et qu'à rendre une courte visite d'une heure à mes parents après la messe.

Une seule chose me rend la vie un peu plus supportable. Chaque soir, vers six heures, je vois passer un garçon qui m'attire depuis deux ou trois ans. Il est servant de messe à l'église. Je me demande bien si j'aurais la chance de le rencontrer un jour. J'aimerais tellement lui parler. J'en rêve toute éveillée.

France, l'aînée de la famille, fréquente l'école du village voisin. Du lundi au vendredi, elle est en pension chez son oncle Albert. Le troisième vendredi de mon séjour chez les Robidoux, elle est de retour chez elle pour la fin de semaine. Elle s'offre pour me remplacer ce soir-là. Je peux donc profiter d'une sortie au restaurant avec mon amie Léona Fortier. Elle est servante chez Louis, un cousin et voisin d'oncle Georges.

Nous arrivons au Bistro Alpha vers dix-huit heures. Nous commandons chacune une patate frite et un coke. Je me sens comme un lion en captivité à qui on vient de rendre la liberté. Bientôt, nous sommes rejointes par Claude, le petit ami de Léona, ainsi que par Lucien, un cousin de maman. On jase quelque temps, puis Lucien nous quitte. Il a un rendez-vous important, nous dit-il, en clignant de l'oeil. En se levant, il lance un autre clin d'oeil dans ma direction.

-     Tiens, voici justement Léonard qui va tenir compagnie à Paula.

Comme je suis assise le dos à la porte, je n'ai pas vu le nouvel arrivant. Levant les yeux, mon regard rencontre celui de mon servant de messe préféré. Depuis le temps que je le reluque en secret! Vais-je enfin lui être présentée? Lui parler?

Mon sang ne fait qu'un tour et je rougis jusqu'aux oreilles lorsqu'il s'assit à mes côtés. Il enlève son manteau et, en se penchant pour saisir le cendrier, son coude frôle le mien. Je me sens défaillir! L'émotion m'étrangle. J'ai envie de rire. J'ai envie de pleurer! Mon coeur bondit dans ma poitrine comme si je partais pour un voyage en supersonique. Je finis tout de même par me calmer et par balbutier quelques mots lorsqu'il me demande ce que je fais dans les parages.

Il est là, tout près de moi, ses épaules larges, son torse costaud comme tous les sportifs. Il a l'air décidé, prêt à foncer devant n'importe quel gardien de but, sans peur, sans hésitation. Pourtant, ses yeux expriment la douceur, le désarroi et le manque de savoir-faire face à l'étrangère que je suis.

Je voudrais fouiller les traits de son visage pour en imprimer une copie dans ma mémoire. Je ne pourrais jamais l'oublier. Nous mangeons nos frites en silence, n'osant lever les yeux, gênés par le protocole et les préjugés enseignés par la société depuis notre tendre d'enfance.

Il fait jouer le «Jukebox». Son attention me touche lorsqu'il me demande quelle chanson je préfère. Je n'ose lui dire car elle a justement pour titre «Have I told you lately that I love you». Je voudrais bien le lui dire, mais les mots ne sortent pas de ma bouche. Comment le pourrais-je?

On m'a appris qu'une femme ne doit pas exhiber ses sentiments comme ça, surtout la première fois qu'on se rencontre. On m'a bien enseigné la règle, mais on s'est bien gardé de me dire que l'amour exige plus que des émotions et des sentiments. On n'explique pas ces choses aux filles. Elles sont faites pour être les servantes de l'homme, pas son égale.

Pourtant, je ne peux pas le considérer comme le premier venu. Depuis plus de quatre ans, je nourris en cachette ce sentiment d'amour pour lui. Quand il parle, je bois chacune de ses paroles comme un doux nectar. L'heure s'écoule tellement vite! Je voudrais bien retenir le temps, mais hélas! Il me faut rentrer avant vingt et une heure! Léonard s'offre pour me ramener à la maison. J'accepte avec empressement. La lune brille de tous ses feux, rendant encore plus romantique cette soirée mémorable.

Juste avant d'arriver chez oncle Georges, il m'enlace et me donne un petit bec fraternel sur le bord de la joue. Je suis au septième ciel. Je suis certaine que, comme dans tous les contes de fées de mon enfance, je viens de rencontrer mon sauveur, mon prince charmant. Avec la rapidité d'un éclair, tout un roman défile devant mes yeux. Tout devient possible puisque je l'ai enfin rencontré! Je l'invite à entrer et nous passons au salon.

France et Jérémie sont installés pour écouter la partie de hockey à la radio. Pendant qu'ils entament avec Léonard une discussion sur les mérites de Gordie Howe, de Maurice Richard ou de Bobby Hull, je rêve les yeux grand ouverts. Je suis assurément sous le charme de ce beau garçon de près de six pieds. Il a les épaules larges, la démarche fière et les yeux bruns à faire rêver la plus endurcie des filles.

La partie de hockey terminée, France et Jérémie s'éclipsent et nous sommes seuls pendant une vingtaine de minutes. Il m'enlace à nouveau et, cette fois-ci, c'est un long baiser où chacun exprime sa satisfaction d'être ensemble. Il me demande d'être sa blonde, sa «steady» comme on dit par ici. J'accepte. Il m'embrasse à nouveau, me promettant de revenir le dimanche soir.

Pour la première fois de ma jeune vie, je suis heureuse! Je dors comme un ange cette nuit-là. Et le lendemain, je ne touche plus à terre! Je ne ressens plus les ampoules sous mes pieds. Je ne ressens plus la fatigue. J'ai les ailes d'un papillon.

Dimanche soir, vers sept heures, fidèle à sa promesse, il est là! Nous jouons aux cartes. Nous racontons des blagues et parrain nous joue même quelques morceaux de violon. C'est une autre soirée inoubliable! Vers dix heures, il part, mais nous nous reverrons samedi prochain.

Chaque soir, vers dix heures, je vois Léonard passer. Il se rend au bistro rencontrer ses copains. Mais durant la semaine, nous ne pouvons nous voir car j'ai trop de travail. Pourtant, mon coeur chante. Je ne vois plus les heures passer! Et avant que j'aie eu le temps de m'en rendre compte, le samedi est arrivé. À sept heures, il sonne à la porte.

Comme la semaine dernière, nous jouons aux cartes. Puis on passe au salon pour écouter la partie de hockey. Mais je sens bien qu'il y a quelque chose de différent. Toute la soirée, j'ai un pressentiment.

La partie de hockey terminée, nous sommes seuls au salon... Il m'enlace, m'embrasse longuement, tendrement. Soudain, il me repousse et me regarde droit dans les yeux. À brûle-pourpoint, il me demande:

- Quand je reviendrai, est-ce que tu voudrais être ma femme?

- Quand tu reviendras? questionnai-je dans un souffle.

- Oui, comme tu sais, il n'y a pas de travail dans la région. Deux semaines passées, moi et deux de mes amis, nous sommes allés à Fredericton pour essayer d'en trouver. Comme il n'y avait rien, nous nous sommes enrôlés dans l'armée. Nous devons partir pour le camp de Petawawa en Ontario demain matin. On a eu notre lettre d'acceptation vendredi. Le coeur gros, il poursuit:

- Il fallait justement que ça arrive maintenant que je t'ai rencontrée. Je t'écrirai. Ne m'oublie pas, hein chérie?

Il m'embrasse à nouveau, me murmure: «Je t'aime». Puis, il disparaît dans la nuit.

Encore une fois, le monde se dérobe sous mes pieds. Je dois faire face à la dure réalité de ce monde d'adultes qui, après avoir gavé les enfants de contes de fées, de romans fleurs bleues et de bagatelles, les laisse trop souvent seuls à l'adolescence pour affronter les dures réalités de la vie.

Deux semaines plus tard, les Robidoux n'ayant plus besoin de mes services, je retourne chez mes parents. Comme salaire, je reçois dix dollars et une jupe que tante Mélodia a ajustée à ma taille.

La semaine suivante, je me décroche un empoi dans une usine de poisson, au village de Trahan, à huit kilomètres de chez moi. Nous sommes six filles de la région qui voyagent dans un taxi commun. Il faut apporter notre dîner et notre souper parce que nos heures de travail sont irrégulières. Nous devons être disponibles au moment où le bateau rentre au port. Certains jours, nous travaillons de deux à trois heures, puis il faut attendre trois ou quatre heures pour le prochain bateau.

Il y a bien dans l'usine une petite chambre où nous pouvons attendre. Mais il y fait tellement chaud et la puanteur est telle que nous préférons attendre dehors, assise sur l'herbe au bord de la route.

Après deux mois de travail, lorsque j'ai payé mon taxi et mes repas, il me reste 2,69 $ sur mon salaire.

Et pendant tout ce temps, Léonard ne m'a pas écrit. Même pas une carte postale! Je m'en souviendrai longtemps de l'année 1950.

Vers la mi-août, je me rends un soir à l'église pour une pratique de la chorale paroissiale. En jasant avec la directrice, elle me demande si ça ne m'intéresserait pas de reprendre mes études.

Durant toute la semaine suivante, cette idée me trotte sans cesse dans la tête. Ça me tente, mais j'ai peur d'en parler à papa. Finalement, je me décide. Je l'approche. À force de supplier, j'ai enfin gain de cause. Mais il m'avertit que c'est bien la dernière année qu'il paie pour moi. Il y a quatre garçons dans la famille et leur instruction est plus importante que celle des filles.

En septembre, je reprends donc le chemin de l'école. Dans ma classe, il y a Léona, la soeur jumelle de Léonard. Elle m'apprend qu'il a été transféré au Manitoba trois semaines après son arrivée à Petawawa. En décembre, il devrait partir pour l'Allemagne pour au moins deux ans. Ça explique peut-être pourquoi il ne m'a pas écrit. Tous mes espoirs amoureux s'envolent donc avec cette nouvelle. Je m'accroche à mes études comme à une bouée de sauvetage. Au moins, la dernière année aura servi à me rendre plus sage et plus responsable.

Vers la mi-octobre, Madame Girard, ayant constaté ma détermination et mon sérieux, m'offre la possibilité de faire ma onzième et ma douzième année dans un an.

- Inutile, me dit-elle, de perdre du temps à reprendre cette dixième année que tu as raté par ton manque de sérieux bien plus que par manque d'intelligence.

Elle me dit être certaine que j'ai tout le potentiel voulu pour réussir. Il me faudra néanmoins travailler très fort. Je devrai sacrifier tous mes loisirs et mes congés. Il me faudra travailler de 8h30 le matin à 21 heures tous les soirs. Nous n'aurons qu'un arrêt de trente minutes pour les repas, un autre trente minutes pour le retour à la maison, plus cinq minutes en avant-midi et cinq minutes en après-midi.

Je viens tout juste d'avoir seize ans. C'est une grosse responsabilité. Madame Girard me fait remarquer que tous les grands de ce monde, tout comme les athlètes qui se rendent aux olympiques, en font autant. Alors, je m'attelle à la tâche. Les samedis et les dimanches, tout comme les jours de congé et durant les vacances de Noël et de Pâques, j'irai travailler chez elle de neuf heures à midi et de treize heures à dix-sept heures. C'est une institutrice extraordinaire! Elle est formidable! Elle croit tellement en mes capacités que ça m'incite à me dépasser continuellement.

J'avoue en avoir bavé et sué un coup. Mais lorsque je passe avec succès les examens d'immatriculation de la province en juin, c'est une grande victoire pour moi. J'en partage tout le mérite avec mon institutrice. Elle m'a démontré tellement de grandeur d'âme qu'en septembre, je suis très fière de suivre sa trace et de me diriger vers le «Teacher's College» de Fredericton.

Au mois de juin suivant, j'y obtiens un brevet d'enseignement, première classe.

Je pense avoir fait plus de développement et de croissance personnelle durant ces deux années qu'au cours des quinze ans précédents. Mon coeur, lui, est toujours accroché quelque part en Allemagne. D'ailleurs, nous nous écrivons depuis Noël dernier. Et j'attends le retour de Léonard avec impatience.

* * * * *

Edna Thériault
(Petit-Rocher)

Parlons de bonheur

Il y a quelque temps, j'étais en train de lire un livre qui parlait du bonheur.

J'étais confortablement assise sur le divan du salon lorsque soudain mes petits-fils, des jumeaux âgés de treize ans, arrivèrent de l'école. Louis et Denis, un peu curieux, s'approchèrent de moi et Denis me demanda:

-   Qu'est-ce que tu lis là grand-maman?

-   C'est un livre qui parle du bonheur.

-   Mais grand-maman, où trouve-t-on le bonheur de nos jours? On n'entend que de mauvaises nouvelles à la radio, à la télévision et dans les journaux. Hier encore, on parlait de guerre, de famines, de familles désunies, de batailles ici et là... Moi, je n'aime pas entendre ces choses-là.

-   Pauvre Denis, tu n'as pas fini d'en entendre, tu commences seulement. Tu dois trouver le bonheur là où il se trouve, soit au fond de ton coeur. Comme dit la chanson: «Faisons notre bonheur nous-mêmes». Puis, dans la belle nature, il y a du bonheur dans la fraîcheur de l'air et dans le vent chaud. Au printemps, par exemple, la nature s'éveille. L'herbe commence à verdir. Les fleurs s'épanouissent et les oiseaux migrateurs reviennent. Nous savons alors que bientôt arrivera le bel été avec sa chaleur. Ce sera alors le temps d'aller camper, de pêcher de beaux petits poissons, de cueillir des baies dans les champs et de se baigner. C'est ça le plaisir et le bonheur. Qu'en penses-tu Louis?

233

- Oui, grand-maman. L'été, on peut faire bien des choses qu'on ne peut pas faire lors de la saison froide. On peut aussi faire de belles promenades en automobile. C'est si agréable.

- Vous voyez, l'été est à peine terminé que bientôt arrive à l'improviste la belle saison de l'automne. Les jours sont plus courts. Il est vrai aussi que les soirées sont plus longues. C'est un bon temps pour s'amuser à l'intérieur, pour faire des jeux de société, pour regarder la télévision et surtout pour étudier ses leçons. C'est très important à votre âge. Hein Denis?

- C'est une bonne idée grand-maman. Est-ce que c'était différent lorsque vous étiez jeune?

- Dans mon enfance, je demeurais près du bocage de Sainte-Anne. J'aimais bien le parcourir, surtout l'automne. Je trouvais des feuilles multicolores; des jaunes comme celles des hêtres, des rouges comme celles des érables et des vertes. En marchant dessus, j'entendais du bruit sous mes pas. Je trouvais ce bruit merveilleux. J'en collectionnais pour faire des albums. Je pouvais ainsi contempler ces feuilles à longueur d'année. Aussi, sous les gros hêtres, j'aimais bien cueillir des faînes. J'en remplissais de pleins paniers. Souvent, j'en volais aux écureuils qui n'appréciaient pas du tout mon geste. Ils me disputaient à leur manière. Après tout, c'était leurs provisions pour l'hiver.

J'aimais aussi entendre l'écho de ma voix à travers le bocage. Quel émerveillement pour moi! Je ne savais pas ce que c'était que l'écho. Quel bonheur! Et que dire de la musique du vent qui berçait les arbres et le chant des oiseaux que j'imitais à l'occasion?

- Grand-maman, on ne voit presque plus d'oiseaux. Où sont-ils?

- Je pense que la pollution en a détruit un peu. J'ai entendu dire à la radio un jour qu'une grosse tempête en avait fait périr un très grand nombre lors de leur migration au-dessus de l'océan. C'est malheureux de ne plus entendre leur chant qui nous égayait tellement autrefois.

- Pensez-vous que cela va revenir un jour?

- Je ne sais pas. Ça va sûrement prendre beaucoup de temps.

- Un autre bonheur de mon enfance était d'entendre le bruit des vagues qui venaient mourir à mes pieds. J'aimais surtout entendre le cri du goéland volant au-dessus de la mer. Il venait se poser silencieusement sur l'eau et semblait crier sa joie. Ensuite, je contemplais le bleu du ciel au-dessus de la mer. Cela me faisait rêver à l'au-delà. Je ne puis oublier ces doux moments de mon enfance. J'aimais beaucoup la nature et je me sentais si heureuse.

- On dirait qu'on ne voit plus rien de tout cela.

- C'est vrai. Le progrès vous a enlevé un peu de bonheur naturel, mais il est toujours à votre portée. Il suffit de regarder et de contempler ce qui vous entoure. Vous savez, mes enfants, je ne peux pas vous raconter tous mes bonheurs d'enfant. J'en ai trop. Je me souviens que mon père était pêcheur à l'époque. Il s'en allait pêcher très loin sur son voilier vert. Il avait trois autres pêcheurs avec lui. Chaque samedi, il revenait de la pêche. Là, j'allais sur le bord de la falaise le voir arriver. Je me vois encore avec ma petite robe rose attendant que le bateau accoste au quai. Dès son arrivée, je criais à mon père de toutes mes forces et je courais vers lui à toute vitesse. Rendue près de lui, je lui sautais au cou pour l'embrasser. Ce que ça remplissait mon coeur de joie! Je crois qu'il était encore plus heureux que moi de me voir là. Ensuite, tous les deux, main dans la main, nous nous rendions chez nous. Il avait bien hâte de revenir à la maison pour voir tous les autres membres de la famille.

-   Comment s'appelait ce bateau-là?

-   Il portait mon prénom, Edna. J'en étais fière. J'avais même l'impression que ce voilier m'appartenait. Il voguait sur l'eau comme un charme. On aurait dit le «Blue Nose». Un jour, il a été rejeté sur la côte lors d'une grosse tempête. Ceci est arrivé le 21 septembre 1937, tout près de chez nous. Ce jour-là, mon père n'avait pas amarré son bateau au quai. Pendant la nuit, une tempête s'est levée et le bateau s'est brisé où est maintenant située la grotte de Ste-Anne du bocage. Ce fut une perte totale. Mon père a pleuré sa perte. Moi aussi, en secret, j'ai pleuré.

-   Grand-maman, ça devait être ta première peine?

-   Oui, vous l'avez dit. Mais cela m'a préparée à faire face aux durs coups de la vie. C'est bon parfois. Dans la vie, il y a de bons et de mauvais moments. Il faut toujours les accepter.

Vous savez, il y a beaucoup de choses qui peuvent rendre une personne heureuse, comme l'écouter lorsqu'elle est découragée ou la faire sourire lorsqu'elle est triste. Eh bien, j'ai fait personnellement beaucoup de ces petites choses. J'ai tendu la main à une personne âgée tremblante qui voulait traverser la rue. J'ai eu beaucoup de bonheur et de joie à l'aider et à la conduire où elle voulait aller. J'ai commencé dès l'âge de neuf ans à m'intéresser aux personnes âgées. Je leur rendais bien des services. Je puis vous affirmer que toutes ces personnes-là m'ont beaucoup aidée à grandir et à devenir une femme. Je les remercie du fond du coeur pour toute la sagesse qu'elles m'ont transmise. C'est ce qui a donné un sens à ma vie.

- Tu pensais beaucoup aux autres, grand-maman?

- Oui, Louis. Je pensais beaucoup aux autres et c'est la même chose aujourd'hui. La vie sur la terre est si courte. Ce n'est qu'un brève passage. Il faut la vivre pour soi et aussi pour les autres. C'est ce que l'on appelle le vrai bonheur sur la terre.

- Je sais que la vie est un bienfait de Dieu et nous devons lui en être reconnaissant. Je le remercie à chaque jour.

- Grand-maman, est-ce bien difficile tout ça? fit Denis.

- Pas tellement. N'oublie pas qu'il nous faut parfois du courage pour combattre le brouillard qui nous assaille. Il faut toujours garder des idées positives. N'oubliez pas qu'on peut trouver le bonheur dans les plus petites choses. Il suffit de regarder autour de soi pour le découvrir.

- Grand-maman, avez-vous trouvé d'autres bonheurs dans la vie?

- Le bonheur le plus grand était de voir arriver mes grands-parents maternels et paternels. Ce sont eux qui ont acompagné mes premiers pas. Je garde toujours un précieux souvenir d'eux, même s'ils sont partis pour un monde meilleur. Ils avaient la foi. Ils étaient des sages et ils savaient aussi nous transmettre leur foi par la parole et par l'exemple. C'étaient de grands pratiquants. Je les revois encore, à genoux, récitant le rosaire chaque soir.

- Aujourd'hui, grand-maman, nous n'avons plus le temps de prier ni même de penser. Avec la télévision, le nintendo et l'école, il faut toujours aller de plus en plus vite. Nous n'avons presque plus le temps de souffler. Où prendre le temps?

- Vous avez bien raison mes enfants. Il faut prendre un moment, s'arrêter et prendre le temps de vivre. Comme votre vie serait plus heureuse! Il faut prendre le temps, comme dit la chanson. Écoutez bien, Denis et Louis, j'aimerais vous parler de la naissance d'un enfant à la maison.

- J'étais l'aînée d'une famille nombreuse. Chaque année naissait un nouveau-né. Quelle joie pour la famille! Sûrement, cet enfant-là sentait déjà qu'il était accepté par toute la maisonnée. Il grandissait dans l'amour et la chaleur du foyer.

- Aviez-vous beaucoup de frères?

- Oui, Louis, j'avais huit frères.

- Et combien de soeurs?

- J'avais six soeurs, Denis.

- Ah ça faisait beaucoup de monde à manger? Hein mémère? fit Louis en souriant.

- Oui, nous possédions un jardin potager qui produisait presque tous les légumes dont nous avions besoin. Papa faisait la chasse et la pêche. Nous avions tout ce qu'il nous fallait et nous vivions dans une sécurité parfaite. Aussi, nos parents étaient toujours près de nous. Ce sont eux qui détenaient l'autorité et personne ne répliquait.

- Vous étiez chanceux d'avoir été élevée dans une famille unie. De nos jours, on entend beaucoup parler de séparations.

- C'est bien malheureux pour les enfants. Ne crois-tu pas, Louis?

Louis ne sut quoi répondre. Denis de même.

- Tiens, un autre merveilleux souvenir me vient à la mémoire: Les soirées passées au coin du feu. Le bois crépitait joyeusement dans le gros poêle et dégageait une forte odeur de sapin. Ensemble, on en profitait pour se raconter des histoires et pour chanter des chansons. Pendant la soirée arrivait un bon violoneux. On s'en donnait à coeur joie. On dansait et on sautait. On savait s'amuser en famille. Des fois, on jouait aux cartes, à la politaine, au «whist» et au petit quarante-cinq. Les plus vieux jouaient parfois aux dames.

- Vous couchiez-vous tard dans votre temps? demanda encore Denis.

- Non. À neuf heures trente, nous devions aller dormir pour nous lever tôt le lendemain matin vers six heures trente. Lorsque nous étions couchés, maman en profitait pour tricoter nos chaussons et nos mitaines à la clarté de la lampe à kérosène. Cette lampe répandait une odeur d'huile dans la maison. Parfois, cela nous donnait des nausées, mais il fallait s'y habituer, car il n'y avait pas d'électricité à l'époque.

- Nous sommes chanceux maintenant, Nous avons l'électricité.

- Oui, Louis, mais il faut toujours être prêt à affonter les durs moments de la vie. Il y en a de bons et de mauvais.

- Comme ça, c'est bon de faire des sacrifices?

- Certainement, vous n'avez qu'à observer autour de vous. Qui sont les plus heureux? Ce ne sont certes pas les plus riches. Ce sont ceux qui se contentent de ce qu'ils ont et qui n'envient pas les autres. Ils trouvent le bonheur en donnant aux autres

- Veux-tu dire grand-maman que ceux qui sont pauvres doivent se contenter de rester pauvres?

- Non, Louis. Il ne faut pas envier les riches, mais nous devons toujours essayer d'améliorer notre sort. L'amour aussi est important dans la vie. Nous devons aimer et être aimés. C'est là un des plus grands bonheurs. N'est-ce pas Denis?

- Mais grand-maman, ceux qui font la guerre doivent être bien malheureux?

- Oui, beaucoup de soldats ne veulent pas la guerre. Ils sont obligés d'obéir aux autorités pour défendre leur pays. Il faut toujours prier bien fort pour la paix.

- Il semble que les adultes ne nous montrent pas toujours le bon exemple? lança Denis d'un trait.

- C'est vrai. Il ne faut pas les imiter. C'est à vous, adultes de demain, de travailler main dans la main pour bâtir un monde meilleur où il n'y aura plus jamais de guerres ni de violence. Ayez une confiance à toute épreuve. Évitez l'alcool et les drogues. Soyez tolérants afin de mieux vivre le futur. En faisant ainsi, vous connaîtrez le bonheur sur cette terre. Continuez ainsi et vous trouverez beaucoup de bonheur. J'en aurais encore beaucoup à vous dire, mais... Soyez simples, honnêtes et sincères. Notre valeur se mesure à ce qu'il y a de profond dans nos âmes.

Soyez bons, en étant chaque jour francs, honnêtes envers vous-mêmes et les autres. Soyez tendres avec les personnes handicapées, avec les malheureux et les petits. La bonté apporte le vrai bonheur et la richesse. Soyez toujours bons, obéissants, généreux et tendres envers vos chers parents. Ils ne seront pas toujours là. La vie est si courte.

N'oubliez surtout pas de leur dire souvent que vous les aimez. Cela leur fait tellement plaisir. Soyez généreux avec votre temps. Renoncez à la télévision ou à une lecture amusante pour leur rendre service. N'oubliez pas aussi de rendre service à une personne handicapée, à un ami, à une personne qui a besoin d'aide. La générosité épanouit le coeur et rend aimable.

N'oubliez pas la franchise. Être franc, c'est d'abord de ne jamais mentir. Reconnaître ses torts, c'est donner justice et promouvoir la justice autour de soi. C'est aussi de ne jamais chercher de petites excuses à nos fautes. La franchise nous donne le droit de marcher la tête haute dans le monde où le mensonge, hélas, existe trop souvent.

Plusieurs personnes sont malheureuses parce qu'elles n'ont pas été franches dans le passé. Soyez tolérants les uns envers les autres. Bâtissez mieux pour demain, car l'avenir est entre vos mains. Le monde a besoin de coeurs généreux et de bras solides pour en faire un endroit où il fait bon vivre.

- Grand-maman, c'est beau tout ce que vous nous avez dit sur le bonheur. Mais nous, les jumeaux, notre plus grand bonheur, c'est de vous avoir pour veiller, pour prendre soin de nous et pour nous donner de la joie comme vous le faites. Demeurez longtemps avec nous.

* * * * *

**Théophane Thériault
(Petit-Rocher)**

Mariage au village des bouleaux

Valentin vivait dans le village des bouleaux. C'était un nom assez étrange pour un village situé au bord de la mer. On l'appelait ainsi, disait-on, parce qu'il y avait beaucoup de bouleaux dans la région. Mais, en réalité, on ne connaissait pas vraiment l'origine de ce nom. On disait tout de même que la couleur blanche de l'écorce des bouleaux ajoutait un peu de gaieté et de chaleur aux couleurs plutôt sombres des épinettes et des cèdres.

De plus, vu que les gens vivaient des produits de la forêt et de la terre, plutôt que des produits de la mer, ils trouvaient ce nom très approprié. D'ailleurs, ils étaient fiers du nom de leur village.

C'était au coeur de la grande crise économique des années trente. Il y avait peu d'argent, mais les gens s'entraidaient beaucoup. Ainsi, lorsqu'un chasseur tuait un chevreuil, même hors de la saison de chasse, tous les voisins étaient assurés d'en avoir un morceau. On disait que les autorités fermaient les yeux dans de tels cas. Des mauvaises langues ajoutaient même qu'elles avaient leur part elles aussi.

Les hommes, qui en avaient la capacité, partaient pour les chantiers pendant les mois d'hiver. Ces chantiers étaient quelques fois fort éloignés du village et certains bûcherons ne venaient même pas se promener à Noël ou au Jour de l'an. Quelques garçons et filles, pour aider leurs parents, allaient travailler dans les villes et leurs envoyaient de l'argent. Les gens étaient très religieux et certains marchaient plusieurs milles pour se rendre à la messe obligatoire du dimanche.

Comme passe-temps favoris, les gens jouaient aux cartes. C'était surtout en hiver qu'on s'y adonnait. Quelques-uns étaient mauvais perdants et prenaient la chose un peu trop au sérieux. Ceci menait à des discussions plutôt animées. Au pire, on ne se parlait pas pendant quelques jours.

Les gens aimaient surtout les soirées de danse organisées lors des noces. On en parlait des semaines à l'avance. On commençait à danser de bonne heure dans la soirée afin d'avoir plus de temps. Surtout que la danse n'était permise que jusqu'à minuit. Il y avait souvent des abus de boisson et des chicanes. Dans la plupart des cas, ce n'était cependant pas grave.

Il y avait aussi des petites danses clandestines qui se faisaient les rideaux baissés pour plus de discrétion, même si tout le monde était au courant. L'organisation de ces petites danses était plutôt spontanée. Et il y avait toujours un bon violoneux pour jouer quelques quadrilles. Et comme par enchantement, le jigueux du village arrivait. Il ne manquait jamais de montrer son savoir-faire entre deux quadrilles, au grand plaisir des invités.

* * * * *

C'était dans ce village que vivait Valentin. Il était de grandeur moyenne et il avait la barbe et les cheveux bruns. Il portait chemise et veste, appelée makina, à carreaux rouges et noirs. Il chaussait des bottes à mi-jambe. Il ne les laçait qu'à la hauteur de la cheville. À cette époque-là, c'était la mode. Il aurait été plutôt étrange de voir un jeune homme lacer ses bottes jusqu'en haut. Cela aurait été mal vu de ses compagnons et on aurait dit de lui qu'il cherchait à se faire valoir. Valentin suivait donc la mode.

Il était bûcheron et fermier. Il aimait bien ces deux occupations. En hiver, il passait plusieurs mois dans les chantiers. En été, il s'occupait de son jardin potager. Les produits récoltés étaient plus que suffisants pour satisfaire ses besoins.

Il avait quarante-huit ans et il n'était pas encore marié. Ses amis le taquinaient à ce sujet, mais il répondait toujours qu'il n'avait pas encore trouvé la sienne. Il faisait pourtant l'envie de plusieurs femmes célibataires et veuves du village. C'était un homme un peu mystérieux, souriant toujours aux commérages que l'on racontait à son sujet. On disait, entre autres, que sa maison était mal tenue et même malpropre. De plus, on trouvait toutes sortes de raisons pour expliquer le fait qu'il n'était pas encore marié. Mais lorsqu'il sortait, il était toujours bien mis et propre.

Marie aussi demeurait dans le village des bouleaux. Elle vivait dans sa propre maison, de l'autre côté du chemin, en face de la maison de Valentin. Elle était veuve depuis quelques années et elle vivait bien sur sa petite ferme. Sa coquette petite maison, très bien entretenue, était remarquée de tous.

Valentin avait plus qu'observé sa voisine, qu'il reluquait de la fenêtre de sa cuisine. Il n'avait jamais osé lui demander de la courtiser. Elle, de son côté, attendait le moment opportun pour l'inviter. Elle était féminine dans le vrai sens du mot. Elle savait attendre.

Il était un peu timide, mais cela paraissait à peine. C'était cette timidité qui l'empêchait de parler ouvertement aux femmes, spécialement à Marie. Un homme comme lui, ayant maison, terre et gagne-pain presque assurés, était assez rare. Il est vrai qu'il avait quarante-huit ans, mais on ne lui en donnait pas plus de quarante.

De la fenêtre de sa cuisine, Marie voyait également Valentin vaquer à son ouvrage. Elle aussi n'osait pas trop lui parler, non pas par timidité, mais pour ne pas avoir l'air trop osée. C'était la manière de voir les choses à cette époque-là. On peut dire que Valentin était tout aussi intéressé à Marie que Marie l'était de Valentin.

Valentin aurait bien aimé se marier. Il passait une partie de son temps, lorsqu'il ne travaillait pas, à regarder les femmes passer dans le chemin, à regarder des photos de femmes dans les rares journaux de l'époque et à contempler certaines pages des catalogues.

Marie, elle, avait une quarantaine d'années. N'ayant pas eu d'enfants de son premier mariage, elle vivait seule dans la maison que lui avait léguée son défunt mari.

Marie ne passait pas inaperçue dans le village des bouleaux. Elle était de taille et de grandeur moyenne. Sa beauté était rehaussée par un sourire agréable et sympathique. Elle savait écouter et encourager ceux et celles qui lui demandaient des conseils. Elle avait toujours un bon mot pour tous et chacun. Elle était très bien perçue des villageois.

Par une belle et chaude soirée d'été, un dimanche, Marie sortit de sa maison avec sa chaise berceuse et commença à se bercer sur le perron. Elle portait une robe vert pâle, avec ceinture à la taille, qui lui donnait un air plus élancé. Le tout lui allait très bien. Elle soupçonnait que Valentin la regardait. En effet, elle avait deviné juste.

Après un court moment, Marie entra dans sa maison, à la surprise de Valentin. À vrai dire, il ne l'avait jamais vue aussi belle et attirante. Elle en ressortit presque aussitôt avec une autre chaise berceuse qu'elle plaça tout près de la sienne. Puis, elle continua à se bercer. De temps en temps, d'une poussée de la main, elle fit bercer la chaise qui était vide de telle sorte que les deux chaises se balançaient à la même cadence.

C'en était trop pour Valentin! Il ne put résister à ce genre d'invitation plutôt inusitée. Marie, très intuitive, avait deviné que cette ruse pousserait Valentin à traverser le chemin. C'était un vrai truc de femme! Finalement, Valentin succomba à la tentation.

Valentin marcha donc vers la maison de Marie, mais elle fit semblant d'abord de ne pas le voir. Elle savait par intuition que Valentin la fixait ardemment des yeux. Lorsqu'elle le regarda enfin, elle fit mine d'être surprise. Avec un sourire enjôleur, elle l'invita à s'asseoir. Il ne savait pas quoi dire et ne put que marmonner:

-   Pour qui est cette chaise vide?

Elle lui répondit d'un air enjôleur:

- Mais voyons Valentin, c'est pour toi!

La glace était cassée. Pendant cette première rencontre, Marie fit le plus gros de la conversation. Elle avait déjà été mariée et elle devinait la gêne de Valentin. Lui, il se contenta d'écouter tout en plaçant quelques mots ici et là. De temps en temps, il jetait un coup d'oeil plutôt discret sur Marie, mais elle s'en aperçut. À vrai dire, elle ne dédaignait pas ces regards un peu trop indiscrets.

De plus, grâce à son intuition féminine, elle pouvait presque deviner ce que pensait Valentin. Elle ne lui en voulait pas pour autant. Elle en était même flattée, mais elle n'osait pas le lui avouer.

Après un certain temps, la fraîcheur du soir venue, elle invita Valentin à prendre une collation à la maison. Tout était prêt sur la table, à l'exception du thé qui était sur le poêle. Valentin ne se demanda jamais pourquoi tout était prêt à recevoir de la visite. Encore une fois, Marie avait deviné ce qui allait se passer. Elle avait bien joué ses cartes.

Ils continuèrent de se voir et devinrent de plus en plus sérieux dans leurs fréquentations. Finalement, ils se comprirent et décidèrent de se marier.

Il y eut un grand mariage à l'église où un bon nombre d'amis étaient présents. Après la messe, le curé leur présenta ses meilleurs voeux de bonheur et de prospérité. À la porte de l'église, les amis en firent autant. Les commérages des dernières semaines étaient choses du passé.

Le même soir, il y eut une danse à laquelle tous les villageois étaient invités. La danse se termina à minuit. Valentin et Marie étaient très religieux et ils ne voulaient pas désobéir au curé qui avait demandé que la danse cesse à minuit.

* * * * *

Il semble que Marie n'avait qu'un seul défaut. Elle était un peu jalouse. C'était son secret bien gardé et Valentin ne s'en aperçut même pas. Marie s'était bien promise, qu'une fois mariée, elle ne laisserait pas son Valentin regarder les autres femmes ou leur parler trop longtemps. Valentin considéra ces petites crises de jalousie comme des sautes d'humeur et il les oublia très vite.

Elle crut bon, à ce sujet, de prendre quelques précautions. D'abord, après avoir fait un grand ménage dans sa nouvelle demeure, elle plaça les meubles de la cuisine de telle façon que Valentin ne puisse pas installer sa chaise berceuse près de la fenêtre. Ceci l'empêcherait, en partie du moins, de regarder les femmes qui passaient dans le chemin.

Et pour plus de sécurité, toujours guidée par son intuition, elle déchira en cachette quelques pages, un peu trop jaunies, du catalogue Eaton.

* * * * *

• Cap-Saint-Ignace
• Sainte-Marie (Beauce)
Québec, Canada
1995

« L'IMPRIMEUR »